每周工作4小时

告别朝九晚五
迈入新贵阶层

Timothy
Ferriss

［美］蒂莫西·费里斯 著　徐慧玲 译　湖南文艺出版社

The 4-Hour Workweek

►ESCAPE 9–5, LIVE ANYWHERE,
AND JOIN THE NEW RICH

TIMOTHY FERRISS

CROWN PUBLISHERS NEW YORK

Published in the United States by Crown Publishers, an imprint of the
Crown Publishing Group, a division of Random House, Inc., New York.
www.crownpublishing.com

Crown is a trademark and the Crown colophon is a registered trademark
of Random House, Inc.

Library of Congress Cataloging-in-Publication Data
Ferriss, Timothy..
The 4-hour workweek: escape 9–5, live anywhere, and join the new rich /
Timothy Ferriss.
Includes bibliographical references.
1. Quality of work life. 2. Part-time self-employment. 3. Self-realization.
4. Self-actualization (Psychology) 5. Quality of life. I. Title. II. Title: Four-hour
workweek. III. Title: Escape 9–5, live anywhere, and join the new rich.
HD6955.F435   2007
650.1—dc22   2006038178

ISBN: 978-0-307-35313-9

Printed in the United States of America

DESIGN BY BARBARA STURMAN

10 9 8 7 6 5 4 3 2 1

First Edition

2000 年左右，我们进入了一个新的纪元——全球化 3.0。全球化 3.0 使得这个世界更进一步缩小到了微型，同时平坦化了我们的竞争场地。如果说全球化 1.0 版本的主要动力是国家，全球化 2.0 的主要动力是公司，那么全球化 3.0 的独特动力就是个人在全球范围内的合作与竞争……

——托马斯·弗里德曼《世界是平的》

全球化 3.0 个人版 setup...

每周工作4小时

告别朝九晚五
旅居世界各地
迈入新贵阶层

阅读即安装……

全球化 3.0 个人版 | setup...

警告！

请先将头脑中的旧版本删除

导读

交易:DEAL

人生最大的交易
是和时间的交易

第一步:定位   **D**—Definition

第二步:精简   **E**—Elimination

第三步:自控   **A**—Automation

第四步:解放   **L**—Liberation

地球是圆的
世界是平的

员工: 应以老板的思路按 D-E-A-L 的顺序阅读,
但要以 D-E-L-A 的顺序实行。

老板: 应按 D-E-A-L 的顺序阅读,
该步骤会把你打造成最纯粹的企业家。

中文版序

大家好！

现在的我正在飞机上，飞行在中国和美国加州之间的某个上空。这应该是一个不错的地方——写下这段序言。

1995年，我在普林斯顿大学第一次上中文课。一周8节课，超强的语音训练，最终导致我的咽喉严重发炎，而我对中国的兴趣则愈发浓厚。正是这种兴趣把我带到了北京。我在北京师范大学学习了两个月，接着又在首都经济贸易大学做了3个月的研究。在接下来的3年里，我的足迹遍及中国，现在我还能记得我1995年的想法：15年后，中国会成为一个强国。

1995年以后，中国发生了巨大的变化——这条龙不但苏醒了而且正在腾飞。2008年北京奥运会将是一个新的标志，自行车会被奥迪替代，巴菲特（Buffett）和盖茨（Gates）之类的名字很快会被"周某"和"王某"等替代。

中国已经准备好要崛起于世界，**中国人天生就比美国人勤奋。这既是优点也是缺点**。什么？这怎么可能是缺点？人们习惯把工作放在第一，但是过度工作反而会导致没有重点，并且无法持续。由此而来的毁灭性是令人惊讶的。更多的工作时间并不是解决的办法。现在美国已经意识到这个问题，很快中国会更加明白这个道理。只有注重结果而不是付出的多少，才能克服每天24小时每周 7 天连轴转的数字时代带来的不足。

如果你缺的是时间，那么你开什么样的车，在银行里有多少存款，都没有意义。**时间，才是当今世界最值钱的不可更新的资源**。过去几年我一直在研究：世界上那些最杰出的人是如何用三分之一不到的时间完成至少 10 倍以上的工作量的。从哈佛大学到普林斯顿大学，从 Google 公司到 PayPal 公司，我在全球寻找最佳答案。本书将和你一起分享我找到的最有效的技巧，从而使你的生活方式和工作方式，迅速朝着更好的方向转变。

在美国，过度工作已经到达一个极点，中国很快也将面临同样的境况。总有一天你再也无法增加工作的小时数。你手中的这本书会给你描绘新的蓝图，我认为此时正是最佳时机。中国现在是一片充满机遇的土地，而最佳的途径往往不是别人正在走的路。

最后我以此结束：**世界上最富有、最成功的人和所有人一样，每天都拥有同样的 24 小时，每周都拥有同样的 7 天。他们之所以杰出，是因为他们更聪明地工作，而不是更辛苦地工作。**

现在是你加入他们行列的时候了。

尽情享受人生吧！

附：非常乐意听到你们的故事和问题。请将它们留在我的博客上：www.fourhourworkweek.com/blog

蒂姆·费里斯
Tim Ferriss
2007.10.18

献给我的父母：

唐纳德·费里斯（Donald Ferriss）

弗朗西斯·费里斯（Frances Ferriss）

你们做出了不错的选择，

教你们顽皮的孩子走上一条与众不同的道路。

我爱你们，把一切献给你们！

目录

第三步：A——自控 (Step III：A is for Automation)

第四步：L——解放 (Step IV：L is for Liberation)

写在前面
First and Foremost

0%

给心存疑虑的读者

生活方式设计（lifestyle design）可以为你度身定做吗？当然可以。下面是人们跃身成为新贵（New Rich）之前最常见的疑虑和担心：

我必须辞职吗？我必须承担风险吗？

两者都不必。无论是耍小花招逃离办公室，还是创建不同的商业模式来为理想的生活方式赚足资金，有很多种途径都可以满足你想要的任一种舒适层次。一个世界 500 强企业的员工是如何用小伎俩掩盖他的离岗，从而能花一个月时间畅游中国各大美丽而神秘的景点？如何创建完全不用打理的生意，却能每月收益 8 万美元？答案全在书中。

我必须是二十几岁的单身一族吗？

大可不必。这本书适合任何一个厌倦了"延期生活计划"（deferred-life plan）的人，他们希望好好地享受生活而不是一味地推迟。研究案例中有开兰博基尼跑车的 21 岁青年，也有带着两个孩子花 5 个月环游世界的单亲妈妈。如果你厌倦了一成不变的生活，想进入一个拥有无限选择的世界，那么，这本书正是写给你的。

我必须要旅行吗？我只想拥有更多的时间而已。

不一定。旅行只是一种选择。我们的目标是创造时间和空间的自由，请各取所需，享受自由。

我必须出生于富裕家庭吗？

不一定。我父母两个人加起来一年收入从来没超过 5 万美元，而且我从 14 岁就开始工作。我不是洛克菲勒，你也没必要是。

我必须毕业于名牌大学吗？

不一定。本书大多数案例中的主人公都未曾就读于哈佛之类的世界名校，甚至有一些还是中途辍学的学生。优秀的高等学校教育当然很不错，但是没受过这样的教育也有其不为人知的益处。那些顶级学校的毕业生通常直接进入高收入工作岗位，每周工作 80 小时，开始长达 15~30 年的灵魂压榨式工作，而这都被视为理所当然的人生之路。我是如何知晓的？因为我是过来人，已经见识过它的毁灭性。本书颠覆了这种传统模式。

我的一段故事 & 你需要这本书的原因

当你发现自己站在了大多数人一边，你就该停下来反思了。

——马克·吐温（Mark Twain，1835—1910，美国小说家）

任何一个还在为温饱而努力的人一定缺乏想像力。

——奥斯卡·王尔德（Oscar Wilde，1854—1900，爱尔兰戏剧家和小说家）

我的手心又开始冒汗了。

为了避开炫目的天花板吊灯，我不得不低头盯着地板。我认为自己是世界上最好的舞者之一，只是没能得到认证。当我们和其他 9 对选手站成一排时，我的舞伴艾丽西娅不断地交换脚跟站立着。这是世界探戈舞锦标赛半决赛的最后一天，也是半决赛选手在裁判、摄像机和雀跃的观众面前的最后一轮表演。这些选手从四大洲 29 个国家 1000 对竞争者中脱颖而出。其他 9 对选手合作时间平均为 15 年，而我们，顶多只有近 5 个月连续每天 6 个小时的排练。现在我们的表演时间到了。

"你感觉如何？"我的舞伴艾丽西娅，一名经验非常丰富的职业舞者，用她带着浓重阿根廷口音的西班牙语问我。

"很棒。非常不错。让我们享受音乐吧。不要去管那些人——就当他们根本不存在。"

我说的不完全是实话。真难以想像，5万多名观众和工作人员全挤进了 El Rural，即使它是布宜诺斯艾利斯最大的展厅。透过浓浓的香烟迷雾，我勉强分辨出看台上起伏的人群，而平坦的地板正中，是那块神圣的 30× 40 平方英尺的空间。我整理了一下细条纹的礼服，又摆弄了几下蓝色真丝手帕。很显然，我正坐立不安。

"你紧张吗？"

"我不紧张。我非常兴奋。我只想玩得开心，其他顺其自然。"

"152 号，轮到你们了。"我们的引导员说道。现在真正轮到我们上场了。当我们迈上舞台的硬木地板时，我小声对艾丽西娅说了个彼此意会的切口：Tranquilo——放松。她笑了，就在那时，我问自己："要是一年多前没有离职，没有离开美国，现在的我到底在做什么？"

我很快打消了这个想法，因为这时，主持人已走到扩音器面前，观众席爆发出阵阵掌声。"152 号参赛选手，来自布宜诺斯艾利斯的蒂莫西·费里斯和艾丽西娅·蒙蒂！！！"

我们上场了，我显得神气十足。

"So, what do you do?"

那时候让我回答这种标准的美国式提问真的很难，这点说来非常幸运。如果不难的话，你现在就不会双手捧着这本书了。

"那么，你干些什么？"

假设你能找到我（其实很难），还得看你什么时候这么问我（最好你不要问），我可能在欧洲参加摩托车赛，可能在巴拿马的私人岛屿潜水，或者在泰国跆拳道的淡季里坐在棕榈树下休息，也可能在布宜诺斯艾利斯跳探戈。奇妙的是，我并不是拥有数百万家产的富豪，也不想成为那样的人。

我并不喜欢回答这样的好奇问题，因为这反映了一种我曾长期身陷其中的流行病：工作介绍就是自我介绍。如果现在有人随意地问我这个问题，我就会非常简洁地解释我的神秘生活方式：

"我是一个药贩子。"

于是对话就此打住。而且只回答对了一半。全部的事实要花很长的时间才能说明白。我如何才能解释清楚我的工作时间和我的赚钱途径完全是两码事呢？我每周工作不超过 4 小时，每月收入却比过去一年赚的还多。

这是我第一次想说出这个真实的故事。它牵涉到一个很重要的亚文化群落——所谓的"新贵"。

住在宫殿般豪宅里的百万富翁做了哪些普通小市民不做的事？答案：遵循不寻常的规则。

一个工作上非常有前途的员工是如何瞒着老板环游世界一个月的？答案：用小伎俩掩盖事实。

金钱已经过时了。新贵抛弃了"延期生活计划"，用新贵阶层的货币——时间和移动——来创造当下的奢侈的新生活方式。这是一门艺术和科学，我们称之为"生活方式设计"。

过去 3 年我一直游历世界，结识了很多人，他们的生活方式是你目前无法想像的。与其诅咒现实，不如让我来教你如何达成梦想。实际操作起来比听起来要容易许多。我，从一个工作加班加点、薪水又少得可怜的办公室员工，到"告别朝九晚五、旅居世界各地"的新贵一员，这中间的变化乍听起来比小说还玄虚。现在我揭开了这个谜底——其实很容易学，也有方可循。

生活不必如此艰辛。确实不必如此。大多数人，也包括过去的我，花费太多时间说服自己相信生活本来就是艰难的，为了换得间或的休闲周末和偶尔的（甚至还要冒着被解雇的风险）短暂假期，不得不忍受朝九晚五的劳苦。

事实，至少我相信并且将在本书中与大家分享的事实，是截然不同的。我将告诉你如何通过小小的经济上的技巧——无论是巧妙利用汇率差异，还是外包（outsourcing）你的生活从而做到分身有术——去做成大多数人都认为不可能的事。

如果你已经选中本书，极有可能你是不愿意在办公桌后坐到60岁的人。无论你的梦想是什么，是逃离激烈的竞争，是经历现实生活中的奇妙旅行，是体会悠长的漫步，是创造世界纪录，还是仅仅渴望工作的改变，这本书都将带给你所需要的工具和方法，帮助你将梦想立即变成现实，而不是在遥远的"退休以后"。不用等到人生的最后阶段，我们有办法现在就得到辛苦工作的报偿。

怎么做？从一个大多数人都忽略的简单区别开始——我忽略了整整25年。

人们并不渴望成为百万富翁——他们只是渴望体验百万美元才能买到的享受。人们想到的是瑞士的滑雪小屋、忠心的管家和充满异域情调的旅行。或者躺在度假屋的露台上，一边聆听着波浪有节奏的拍打声，一边往肚皮上涂抹可可油？听上去真不错。

在银行里存百万美元并不是白日梦。白日梦指的是这百万美元所能提供的完全自由的生活方式。问题是，如果一个人还没有百万美元，那又如何过上百万富翁的完全自由的生活呢？

过去的5年里，我为自己回答了这个问题。现在本书也将为你解答这个问题。我将为你展示我是如何把收入和时间分离，并在此过程中创造出自己理想的生活方式：环游世界并充分享受这个星球提供给我们的一切。我究竟是如何从每天工作14小时年薪4万美元变成现在每周工作4小时月薪4万美元的呢？

这要从变化发生的起初说起。有意思的是，一切都是从一个培训未来投资银行家的速成班开始的。

2002年，应我的启蒙导师也是我大学时代高科技企业管理课程的老师爱德·兹肖教授之邀，我回到普林斯顿大学给这门课的学生讲述我在现实世界里的商业历险。我有些吃惊。在我之前已经有不少千万富翁给这群学生作过演讲，尽管我也打造了一家盈利颇丰的运动营养品公司，但是我走的却是一条非常不同的路。

然而随后的几天里，我意识到似乎每一个人都在讨论如何打造成功的大公司，然后把它卖掉，从此过上幸福的生活。这是相当不错的想法。但似乎没有人真正想到提出或者回答这个问题：为什么一定要这样做？到底是什么金矿，值得人们花费一生中最宝贵的岁月去期待暮年的幸福？

我最后考虑开讲的课程，名为"贩药——为了享乐和获利"。课程从一个简单的假设开始：对工作—生活方程式（work-life equation）中最基本的前提进行测试。

○ 如果不能退休，你的选择会发生什么变化？
○ 如果不用等到工作 40 年之后，而是用"迷你退休（mini-retirement）"的方式来改变"延期生活计划"，现在就提前享受，你又会怎么做？
○ 要想像百万富翁一样生活，就得像奴隶一样工作吗？

面对这些问题我也无所适从。

不一样的结论？"现实世界"的所谓常识性规则不过是一堆脆弱的、被社会强化巩固的错觉的集合。这本书将教你如何发现并且抓住其他人错过的选择和机会。

本书有什么独到之处？

首先，我不会在问题本身上面花过多的时间。我写作的前提就是你正在遭受时间饥荒、正承受着潜滋暗长的恐惧感——或者已经陷入绝境——将就过着小康的生活却没有丝毫的成就感。最后一种情况是最普遍而且最不易察觉的。

第二，本书不讨论储蓄问题，也不会建议你为了 50 年后的百万美元放弃现在每天一杯的红酒。我宁愿选择红酒。我不会让你在今日的享乐和日后的利润之间做抉择。我认为你现在就能同时拥有两者。我们的目标是享乐和获利。

第三，本书也不讨论如何寻找"梦想中的工作"。我认为，对于世界上六七十亿人中的大多数而言，完美的工作就是花费时间最少的工作。绝大多数人终其一生也不能找到一个能不断带来成就感的工作。所以这并不是我们的目标。解放时间和实现收入自控才是我们的目标。

每次讲课我都以解释成为一个"交易商"（dealmaker）的重要性开始。交易商的口号很简单：现实是可以协商的。除了科学和法律，所有的规则都是可以改变或者破除的，而且并不需要违反道德和伦理。

DEAL（**交易**）也是迈入新贵阶层过程中的几大步骤和策略的首字母缩写词。

运用这些步骤和策略可以达到难以置信的效果——无论你是一名普通员工还是一位企业老板。你能把我对老板做的一切也照搬过来对付你的老板吗？不行。你能运用同样的原则和方法让收入翻倍、让工时减半，或者至少增加一倍休假时间吗？当然可以。

以下就是你可以用来彻底改造自己的分解步骤：

D——定位（Definition）引入新一轮游戏的规则和目标，彻底颠覆成见。书中抛弃弄巧成拙的空想，解释了如相对收入和良性压力[1]（eustress）的概念。谁是新贵，他们又是如何经营管理的？这一部分全面介绍了生活方式设计的最基本的要点——在介绍其三大因素之前。

E——精简（Elimination）彻底批判了时间管理的陈旧理念。这里详细记录了我如何按照那位经常被遗忘的意大利经济学家帕雷托的理论，将每天工作 12 小时变成每天 2 小时……改变就在 48 小时之内。通过反常规的新贵的方法，比如培养选择性忽视（selective ignorance）能力、建立低信息食谱（low-information diet），可以忽略掉不重要的东西，将每小时的工作效率提高 10 倍以上。文中提出了奢侈生活方式设计三大要素的第一种：时间。

A——自控（Automation）包括通过地域差价／汇率差异（geoarbitrage）、外包以及不决策准则（rules of nondecision）实现现金流自控。许多超级成功的

---

1. 介绍概念时，全书会给出特殊词汇的定义。如果对某部分不清楚或者需要快速查阅，请登录 www.fourhourworkweek.com，查询相关详细术语表及资料。

新贵的行事准则，这里都包含了。这一部分提出了奢侈生活方式设计的第二种
要素：收入。

L——解放（Liberation）是全球化拥护者的移动宣言。这里提到了"迷你
退休"的概念，还有完美的遥控技术和逃避老板的办法。解放并不意味着廉价
的旅行，而是指永远打破被禁锢在同一地点的束缚。这一部分提出了奢侈生活
方式设计的第三种也是最后一种要素：移动。

我不得不提醒的是，如果你每天只在办公室呆一个小时，大多数老板都会
不高兴的。所以员工应该以老板的思路按 D－E－A－L 的顺序来读此书，但是
要以 D－E－L－A 的顺序来实行。如果你决定仍然留在现在的工作岗位上，那
么，在缩减 80% 的工作时间之前，你必须先创造工作地点的自由。即使你从未
想过要成为现代意义上的企业家，DEAL 步骤也会把你打造成最纯粹的企业家，
正如法国经济学家 J．B．萨伊 1800 年首次提出的企业家定义——把经济资源
从低产地区移到高产地区的人。[2]

最后我不得不承认，我所推荐的许多方法看上去都不太实际或者有悖于常
理——我想你们一定会这样想。现在，下定决心去挑战常理、体验一下另类思
维吧。只要试过，你就会体会到别有洞天的感觉，而且再也不想回头。

来吧，深吸一口气，我将向你展示我的世界。记住——Tranquilo（放松）。
是享受乐趣的时候了，其他一切顺其自然。

蒂莫西·费里斯
日本东京
2006 年 9 月 29 日

---

2. http://www.peter-drucker.com/books/00887306187.html.

我的"劣迹"年表

所谓专家，就是在极小领域内犯过所有能犯的错误的人。

——尼尔斯·玻尔（Niels Bohr，1885—1962，丹麦物理学家，诺贝尔奖获得者）

疯子也有清醒的时刻。

——海因里希·海涅（Hernrich Heine，1797—1856，德国批评家和诗人）

书将讲述我达到以下目标的方法：

○无限制格斗选手，4 个世界冠军头衔

○历史上第一个创造探戈舞吉尼斯世界纪录的美国人

○普林斯顿大学企业管理课程的客座讲师

○日语、中文、德语、西班牙语、意大利语和韩语的应用语言学家

○血糖指数研究员

○全美中国式散打比赛冠军

○中国台湾 MTV 影带中的霹雳舞演员

○30 多名世界纪录保持者的运动顾问

○中国香港和内地热播电视剧的演员

○泰国和中国的电视节目主持人

○政治庇难研究者和激进主义者

○记忆术研究人员

○鲨情观察潜水员

○摩托车赛手

其实，我的成长过程并没有那么耀眼：

1977 年 我提前 6 周来到这个世界，只有 10% 的存活机会。不过，我活了下来，而且长得非常胖，腰都弯不下来。两只眼睛有点不一样，让我同时看到不同的方向，于是我妈妈亲切地叫我"金枪鱼"。至今为止，一切都还不错。

1983 年 因为拒绝学习字母表，我差点没上完幼儿园。老师拒绝向我解释为什么要学习字母表，她只是对我说："我是老师——这就是原因。"我告诉她这样非常愚蠢，还叫她不要再管我，我要专心地画鲨鱼。于是她指派我坐到"坏学生桌"，还让我吃了一块肥皂。从此，我蔑视权威。

1991 年 我的第一份工作。哦，不堪回首。我以最低的周薪受雇于一家冰淇淋小店做清洁工，很快，我就发现大老板的原则就是重复劳动。我以自己的方式只用 1 小时就完成了 8 小时的工作量，剩下来的时间，我就翻看功夫类杂志，还在店外练习空手道的踢腿。第三天我就被开除了，这真是创了纪录，老板还给了句临别赠言："有一天你也许会明白辛勤工作的价值。"到现在我也似乎没明白。

1993 年 我申请参加一个去日本的为期一年的交换项目。在日本，人们玩命似的工作——这种现象叫过劳死——据说，他们出生时想成为日本神道教徒，结婚时想成为基督教徒，去世时则想成为佛教徒。我由此得出结论：关于人生，大多数人都是充满疑惑的。一天晚上，我本想让房东太太第二天早上叫我起床（日文 okosu），我却说成让她强暴（日文 okasu）我。她显得非常疑惑。

1996 年 尽管我的 SAT（美国高中生的"学术水平测试考试"。——译注）分数比平均分低了 40%，我高中的招生顾问也劝我更"现实些"，但我还是想办法混入了普林斯顿大学。我想，我就是不擅长面对现实。我的专业是神经系统科学，但后来为了不再把打印机插头安到猫脑袋上，我转到东亚研究专业。

1997 年　我以为当百万富翁的时刻到了！我把 3 个暑假打工赚的钱全用光，制作了 500 本名为《我如何打败常春藤盟校》（常春藤盟校指美国东北部哈佛大学、普林斯顿大学、耶鲁大学等 8 所著名高等学府组成的体育赛事联盟，后来常春藤盟校成为顶尖名校的代名词。——译注）的有声读物，但是一本都没卖掉。我让妈妈在 2006 年后再处理掉这些书，也就是在我的书被市场拒绝 9 年之后。这就是毫无缘由的自负所带来的乐趣。

1998 年　在四个投球手砸了我一个朋友的脑袋后，我退出了弹跳球运动，那可是当时校园里收入最高的兼职，之后我组建了一个速读学习班。我在整个校园里贴了成百上千张丑陋的荧光绿色传单，上面印着："3 小时内将你的阅读速度提高 3 倍！"普林斯顿的学生们马上在每一张传单上面写上"屁话"两字。3 小时的学习，我以每场 50 美元的价格开办了 32 场，相当于每小时 533 美元。这让我明白：先找到市场再生产产品远比反过来做要聪明得多。两个月后，面对枯燥的速读我几乎要哭了，于是我决定结束这个学习班。我憎恶服务性行业，我需要的是能销售的产品。

1998 年秋　一个论文上的重大分歧和对成为未来投资银行家的强烈恐惧促使我决定结束我的学术生涯，我通知学籍注册主任我要退学，以后有机会再决定是否返校继续学业。我父亲坚信我永远不会再回去完成学业了，我自己也认为我的人生完了。我母亲却认为这没什么大不了，也没必要大惊小怪。

1999 年春　3 个月的时间里，我先后做过世界上最大的外国语言材料出版商贝立兹的课程设计师和一个三人政治庇难研究公司的分析师。之后我飞往中国台湾，莫名其妙地开了一家健身连锁店，结果却让当地一个黑社会组织三合会给搞垮了。我沮丧地回到美国，决心要学习中国式散打。4 周后，我以人们从未见过的最难看的姿势和最怪异的方式赢得了全国比赛的冠军。

2000 年秋　在恢复了信心但荒废了论文之后，我回到了普林斯顿大学。我的人生并没有结束，这一年的耽搁好像还带来了不少好处。现在的二十几岁的年轻人都拥有非凡的能力。我朋友以 4 亿 5 千万美元的价格卖掉了一家公司。而我则决定西行，去阳光充足的加利福尼亚州赚取我的 10 亿美元。尽管当时是历史上求职市场最好的时期，但我还是直到毕业 3 个月后才找到工作。这还是因为我使出了绝招——给一家刚创办公司的首席执行官连续发了 32 封电子邮件。最终，他投降了，让我去干销售。

2001 年春 此时，美国 TrueSAN 公司（TrueSAN Networks）已经从一个只有 15 人的无名公司变成了拥有 150 名员工（他们都在做什么？）的第一大（怎么得出的？）私有数据存储公司。我听命于一位新任的销售主任，从电话黄页簿上的首字母 A 开始，一一拨打电话推销我们的产品。我尽可能以最委婉的方式问这位主任为什么我们要像白痴般这样去做。他说："因为我要求这样。"这可不是一个好的开始。

2001 年秋 每天工作 12 小时。一年后，我发现我是全公司除了接待员以外工资最低的人员。于是我开始故意把全部时间花在网上冲浪。一天下午，当我再也找不到任何可以转发的情趣视频剪辑时，我开始研究如何开一家和营养品相关的公司。我发现，从产品生产到广告设计等等，一切事务都可以外包出去。于是，我用了两周时间和从信用卡上透支的 5000 美元，拥有了自己的第一批产品和一个实时网站。另一个好消息是：一周之后我被原来的公司解雇了。

2002 年—2003 年 BrainQUICKEN LLC 生物科技公司已经起步。以前，我每年赚 4 万美元，现在，我每个月的收入都超过 4 万。惟一的问题是，我现在每周工作 7 天而且每天工作 12 小时以上，我讨厌这样的生活。我似乎陷入一种困境。于是我和家人一起飞往意大利的佛罗伦萨度假一周，在那里，我每天有 10 小时陷在网络里。真是受不了。这时，我到普林斯顿大学教学生们如何打造"成功的（即赚钱的）"公司。

2004 年冬 不可思议的事发生了。一家信息产品公司和一个以色列的多种经营的大公司（哦？）来跟我接触，有意购买我刚起步的 BrainQUICKEN 公司。

我要么简化工作，要么自己扫地走人。结果，BrainQUICKEN 并没有被他们瓦解，反而是两家公司的收购意向被我瓦解了。一切又回到原来的样子（回到土拨鼠日）。不久，那两家公司纷纷表示想投资数百万美元来生产我的产品。

2004 年 6 月 我决定了，即使我的公司垮了，我也要休息一下了——在我过上霍华德·休斯式的生活之前。我放下一切，拿着背包去纽约的肯尼迪机场，买了最早的一班飞往欧洲的单程机票。我在伦敦降落，打算此后再去西班牙过上 4 个星期，在回到过去的暗无天日的生活之前好好享受一下。在伦敦的第一个早晨，我就突然什么也不想了，开始了我的放松之旅。

2004 年 7 月—2005 年 4 个星期延长为 8 个星期，我决定继续在国外呆下去，作为对公司自控运营和我本人生存能力的最后测试，只在每周一的早晨花一小时收发电子邮件。当我突破了自己的瓶颈的时候，公司利润增长了 40%。当工作不再是奔波劳累和回避人生大问题的理由时，人们到底该干些什么？很显然，只能心怀畏惧，加倍保重。

2006 年 9 月 在全然破除了对种种可做和不可做事情的所有设定之后，我以一种奇特的、顿悟的状态回到了美国。"贩药——为了享乐和获利"已经成为一门有关理想生活方式设计的课程。新的信息很简单：我已经见到了梦想中的乐土，而且带来了好消息——那就是，你也能拥有这一切。

第一步:D——定位
Step I : D is for Definition

现实不过是幻象——非常持久的幻象。

——阿尔伯特·爱因斯坦（Albert Einstein, 1879—1955,

德裔美国物理学家，诺贝尔奖获得者）

5%

①

警告和对照

一夜挥霍百万美元？

就像我们说自己"发烧"实际上却被"发烧"所控制一样，这些声称自己"富有"的人实际上是被"富有"所支配的。

——塞内加（Seneca，前 4—后 65，古罗马悲剧家）

我也记得那些看上去富有实际上却极其匮乏的人。他们积攒了大量无用之物，却不懂得如何去利用，也不懂得如何舍弃，最终将自己陷入金银的桎梏之中。

——亨利·大卫·梭罗（Henry David Thoreau，1817—1862，美国作家）

引子：（美国中央时区）凌晨 1:00，拉斯维加斯 3 万英尺高空

他的朋友们已醉得舌头打卷，坠入梦乡。头等舱里只有我们两个了。他伸出手来跟我握手，介绍他自己。当他的手进入我眼帘的时候，我看到一个超级——如同华纳超级巨星一般——巨大的钻戒。

马克是个遵纪守法的富商。他曾先后经营着南卡罗来纳州的几乎所有的加油站、便利店和赌场。他带着一丝微笑说，每去一次赌城，他和他的周末玩伴兼战友们每个人平均要输掉 50 万 ~100 万美元。真是有意思。

当我们谈到我的旅游经历时，他立即从座位上端坐起来。不过，我对他令人吃惊的赚钱方式更感兴趣一些。

"那么，所有这些生意里，你最喜欢哪一样？"

他不假思索地回答："一样也不喜欢。"

他解释道，他花了三十多年的时间和自己不喜欢的人在一起买自己不需要的东西。生活演变成一连串无聊的战利品——他一直非常幸运——昂贵的轿车以及其他毫无意义的吹嘘资本。马克只是众多活死人之一。

其实，人生不该如此。

苹果和橘子：比较

区别是什么呢？拥有多种选择机会的"新贵"（以下简写为 NR），与处处节省把一切留到最后却发现最好的人生已逝的"延期生活者"（Deferrers，以下简写为 D），两者之间到底有什么不同呢？

区别从一开始就出现了，新贵和普通大众的目标不同，而这种不同的目标反映出截然不同的思考层次和生活哲学。

注意，在以下描述中，尽管想要达到的目标乍看上去很相似，但措辞上的细微差别将导致所采取的必要行动的巨大差异。这些描述并不仅限于企业的拥有者。我稍后会做出解释，这些甚至更适用于企业的员工。

D：为自己工作。

NR：让别人为自己工作。

D：当自己想工作的时候工作。

NR：不为工作而工作，花最小的代价取得最大的效果（最小有效工作量，minimum effective load）。

D：尽早退休或者年轻时就退休。

NR：定期分配一生的休整期和冒险期（即迷你退休）。意识到完全的休息并不是目标，做令人兴奋的事情才是真正的目标。

D：买自己想要的一切。

NR：做自己想做的一切，成为自己想成为的一切。如果中间需要使用一些工具和手段，那么照样使用，但记住，它们不过是达到最终目标的途径甚或意外收获，而不是重点。

D：想当老板不再做员工，成为掌权者。

NR：既不当老板也不做员工，只做拥有者。就好比拥有一辆火车并雇请别人来确保火车的按时运营。

D：赚很多钱。

NR：赚很多钱，但是要有具体的缘由和明确的目的，也要有时间安排和工作步骤。一定要明白，你是为了什么而工作。

D：拥有更多。

NR：拥有更好：更好的品质而非更多的数量。拥有大量资金储备，但同时意识到：大多数物质需求只是为了在不紧要的事物上消磨时间提供一个借口罢了，包括买东西和准备买东西。你曾经为了一辆崭新的英菲尼迪跑车花两周时间跟代理商谈判从而得到1万美金的折扣？太了不起了。你有自己的人生目标吗，你是否对这个世界有所贡献，还是只不过每天翻几下报纸、敲几下键盘、周末喝得酩酊大醉回到家里？

D：获取巨大的利益，无论是股票上市、买进还是撤资，或者其他什么利益。

NR：目标宏远但是确保每天稳定的进账：现金流动第一，日进斗金其次。

　D：从不喜欢的事情中解脱出来。

NR：除了从不喜欢的事情中解脱出来，还要有追逐梦想的自由和决心，不再为了工作而工作。经年累月的重复劳动之后，你需要经常努力挖掘自己的激情，重新调整自己的梦想，重拾淡去的昔日爱好。不是简单地拒绝那些令你空虚的负面事务，而是去追求并体验世界上最好的事情。

如果搭错车，请立即下车

首要原则是不要欺骗自己，而你自己是最容易被欺骗的人。

——理查德·P·费曼（Richard P. Feynman, 1918—1988,

美国物理学家，诺贝尔奖获得者)

钱赚够了就收手。不要像旅鼠一样无方向。盲目地追求金钱是愚蠢的举动。

我曾包下私人飞机翱翔在安第斯山脉的上空，曾在世界一流的滑雪跑道上尽情享受世界上最棒的葡萄酒，也曾懒洋洋地躺在私人别墅的巨型游泳池里，过着国王一般奢侈的生活。有一个我很少提及的小秘密：所有这些都比美国的房租还便宜。如果能自由支配时间和空间，你的钱将自动升值3~10倍。

这和货币汇率无关。拥有很多的金钱和能够像百万富翁一样真正享受生活根本就是两回事。

生活中你所控制的 "W" 的数目决定着你手头金钱实际价值的增长：做什么（What），什么时候（When），在哪里（Where），和谁（Whom）一起做。我称之为"自由的增效器"（freedom multiplier）。

以此为标准，每周工作 80 小时、每年获利 50 万美元的投资银行家还不如每周工作 20 小时、年收入 4 万美元的当员工的新贵，而且新贵们对生活的时间、地点和方式还享有完全的自主权。计算一下这些数字并比较一下两者收入带来的不同生活方式时，我们就会发现，前者的 50 万也许还比不上后者的 4 万，反过来，后者的 4 万也许胜过前者的 50 万。

拥有选择机会——具备选择的能力——才是真正的力量。本书就是阐述如何发现和如何付出最小的努力和代价来创造这些选择机会。尽管让人感觉荒谬，但是它就是发生了。你可以用现有一半的工作量赚取更多的钱——多得多的钱。

那么，谁是新贵呢？

○是这样的员工：他经过重新安排工作日程并通过远程工作协议，在 10% 的工作时间内达到 90% 的工作成效，从而能够抽出时间练习越野滑雪，还能够每月有两周时间开车陪家人旅行。

○是这样的企业老板：他懂得放弃让他获利最少的客户和项目，懂得外包整个业务运营，懂得游走世界各地搜集稀有珍宝，同时，还在网上远程工作，发布自己的工作指示。

○是这样的学生：他愿意选择冒险——其实也没什么大不了——建立一项网络在线视频租赁服务，每月从高清电视（HDTV）爱好者的小市场中赚得 5000 美元的收入。这份每周 2 小时的兼职却能让他全职地去做一个动物权利保护活动的组织者。

选择是无限的，但是每一种选择都始于相同的第一步：抛弃成见。

为了做到这些，你需要学习一种全新的语言，需要面对一个全新的世界来重新定位。无论是转换职责，还是抛弃所有关于"成功"的旧观念，我们都需要改变规则。

新竞赛和新选手：
全球化和无极限

意大利，都灵

文明设下太多规则，我要全力去改写。

——比尔·科斯比（Bill Cosby，1937—，美国喜剧演员）

当他在空中旋转 360 度时，震耳欲聋的喧闹声顿时寂静下来。戴尔·贝格－史密斯完美地完成了一个后空翻——并将雪橇在头顶交叉成 X 形——他滑过终点的同时也让自己载入了史册。

这是 2006 年 2 月 16 日，他成为都灵冬季奥林匹克运动会自由式滑雪男子雪上技巧项目金牌获得者。与其他全职运动员不同，在这一刻的荣耀之后，他没必要再回去继续这个没有前途的职业，他也不会把这一天当作人生中仅有的亮点。毕竟，他只有 21 岁，还开着一辆黑色的兰博基尼跑车。

出生在加拿大、还有些晚熟的戴尔，在 13 岁那年找到了自己的第一份工作：创立了一家以互联网为基础的 IT 公司。幸运的是，他有一位富于经验的老师和伙伴来指导他：他 15 岁的哥哥詹森。公司的创立就是为了实现他们站上奥林匹克舞台的梦想。仅仅两年后，公司就成为同类企业中的世界第三。

非赛季里，当队友在滑道上继续训练时，戴尔却常常在和东京的客户谈生意。在这个崇尚"辛苦地工作，而不是聪明地工作"的世界里，尽管他的成绩还不错，但是渐渐地，教练们对他产生了看法，他们对他在生意上花费太多时间而没有把足够的时间用于训练表示不满。

戴尔并没有在生意和梦想之间做取舍，他选择了两不误。从任选其一变为两个都要。他和哥哥不再在生意上花费太多的时间，而是花了大量时间和法裔加拿大人在一起。

2002 年，他们迁往世界滑雪圣地澳大利亚。他们受教于一位传奇性教练，团队也更精简，更灵活。短短的 3 年之后，戴尔就获得了当地的永久定居权，并和以前的队友在比赛中短兵相接，为澳大利亚赢得历史上第三枚冬季奥运会的金牌。

在以袋鼠和海浪为标志的澳洲，戴尔的英姿已经被印上了邮票。这是真的。就在"猫王"埃尔维斯·普雷斯利纪念版邮票的旁边，你就可以买到印有戴尔头像的邮票。

跳出眼前现有的选择会带来意想不到的益处，正如名誉会带来好处一样。一定会有其他选择机会的。

南太平洋，新喀里多尼亚

如果你说愿意接受不完美，事情就会如此发生。

——约翰·F·肯尼迪（John F. Kennedy, 1919—1963，前美国总统）

很多人仍然相信只要再多一点钱就能把事情做好。他们的目标是任意移动的靶子：30 万美元就存银行，100 万美元就用来投资，一年 5 万变成 10 万，等等。朱莉的目标则是本能的反映：当初带走几个孩子，回来的时候要带着相同数量的孩子。

她坐回座位，目光越过她熟睡的丈夫马克，瞥了一下走道对面，如同之前做过千百次一样再次数道——一、二、三。情况还不错。12 小时后，他们都将安全地返回巴黎。当然，前提是从新喀里多尼亚启程的飞机自身一切安全。

新喀里多尼亚？

新喀里多尼亚位于南太平洋珊瑚海热带地区，曾是法国领地。在那里朱莉和马克刚刚卖掉了陪伴他们环绕世界15000英里的帆船。当然,用卖船的钱来偿还他们最初投资的欠债也是整个计划中的一部分。他们的计划包括:长达15个月的环球探险,从布满狭长小船的威尼斯水路到玻利尼西亚的群岛海岸,所有的花费控制在18000~19000美元,这些他们都做到了。花费远比巴黎的房屋租金和面包钱要少。

大多数人都认为这是不可能的事情。然而,这些人并不知道,事实上,每年至少有300个家庭从法国扬帆去做相同的事情。

这次旅行是近20年以来的梦想,不断增加的各种职责义务让它一直被放在计划的最后。每时每刻都会有新的一连串延期实现这个梦想的理由。有一天,朱莉意识到,要是她现在不去做,就永远不可能再做了。各种理由不断堆积,不管合理还是不合理,都会使她更难以相信"逃跑"是可行的。

经过一年的准备,加上她和丈夫又进行了一次30天的试验性旅行,终于,他们扬帆开始了这次具有重大人生意义的旅行。几乎就在起锚的同时,朱莉意识到三个孩子根本不是让她放弃旅行和探险的原因,而恰恰是支持她扬帆远行的最好理由。

出发之前,她的三个儿子为了争抢一顶帽子会像小兽一样打成一团。在学习如何在晃动的卧室里生活的过程中,孩子们学会了耐心,这不仅对他们自己好,也大大省了父母的心。出发前,看书对于三个孩子而言就如同吞沙子般无聊。而当在空旷的大海上只能盯着一面墙打发时间的时候,孩子们开始喜欢上看书了。后来的实践证明,把他们从学校里拖出来一学年的时间,让他们接触全新的环境,是目前为止在他们身上最好的教育投资。

现在坐在飞机上,朱莉看着窗外机翼在云朵间穿行,心中已经在考虑全家的下一步计划了:去山区找个地方滑一整年的雪,开一家航海装备店赚取滑雪和其他旅游的费用。

因为她已经成功尝试了一次,不断的渴望就此开始了。

②

改变规则的规则

流行皆为误区

我给不出一个万无一失的成功法则，但我能告诉你一个失败法则：永远在尽力取悦所有的人。

——赫伯特·贝亚德·斯沃普（Herbert Bayard Swope，1882—1958，
美国编辑和新闻记者，首位普利策奖获得者）

流行皆为误区。

——奥斯卡·王尔德（Oscar Wilde，1854—1900，爱尔兰戏剧家和小说家）

引子：掌控游戏而不仅仅是玩游戏

1999 年，我刚辞去第二份没有成就感的工作，正大吃花生酱三明治让自己开心起来。这时候，我赢得了全美中国式散打比赛的金牌。

这可不是因为我擅长拳打脚踢。老天爷可没这么好。我只是被别人激将而参加了比赛，而且只准备了 4 周，感觉还是有点冒险。另外，我的脑袋非常大，大得像一只西瓜——是别人很好的攻击目标。

我赢，是因为我研读了比赛规则并找到了其中的两条漏洞：

1. 赛前一天称体重：用我现在教给优秀举重运动员的脱水技术，我在 18

小时内减掉 28 磅，称得 165 磅，马上补水恢复到 193 磅。[3] 要想击败比自己高三个重量级别的选手太困难了。我可怜的对手们。

2. 规则条文中还有一个窍门：如果一方在一个回合中跌落散打台 3 次，他的对手则自动获胜。我决定使用这个窍门作为我惟一的技术，就是想尽办法把对手推下台去。可以想像得到，这一举动让当值的中国裁判显得非常无奈。

结果呢？我以技术性击倒对手赢得了所有的比赛，然后就带着全美冠军奖牌回家了，这可是 99%的具有 5~10 年经验的选手都无法做到的事。

挑战现状 VS.保持愚蠢

大多数人用腿走路。难道为了与众不同我要用手走路吗，为了与众不同我要内裤外穿吗？不，不是这样。其实迄今为止，我也用腿走路，我也把皮带束在里面。它不松我是不会去整理的。

只有在带来更大效率和乐趣的情况下，与众不同才是不错的选择。

如果每一个人都以同一个方法来看待和解决同一个问题，而结果总是让人不满意，这时，我们该问自己，是不是可以换一个角度来做？不要总是遵循错误的模式。方法错误，本事再大也没用。

当我踏出校门开始我的第一份工作——销售数据存储器时，我就注意到：大多数打给潜在客户的推销电话都找不到当事人接听，原因只有一个：看门人式的秘书。比如，我只在早上 8:00—8:30 和下午 6:00—6:30 的时间段打电话过去，只有一个小时的时间，我就能够避开接听电话的秘书而直接与客户预约会面，而公司里的高级销售主管则是从早上 9:00 上班开始一直打电话直到下午5:00

---

3. 大多数人认为这样的体重控制简直不可能。我在 www.fourhourweek.com 网站上提供了照片。请勿在家中模仿。我可都是在医疗顾问监督之下进行的。

下班，他们所预约的会面次数仅为我的一半。换言之，我仅用了 1/8 的工作时间就达到了 2 倍的工作效果。

从日本到摩纳哥，从环游世界的单身妈妈到拥有百万家产的赛车手，所有的成功新贵的基本准则都惊人的一致，同时，又与其他人群的基本准则有着明显的差异。

下面就是这些异类者的规则，阅读时请大家谨记在心。

1. 退休是预防出现最坏情况的保险。

退休计划就像人寿保险，它只是预防出现最坏情况的一个保障而已：这时，身体已无力工作，你需要借助储蓄生存下去。

以退休为目标，或者把退休当成终极回报，都是错误的，有以下三条有力的理由：

a. 退休就是承认这样一个事实：你不喜欢自己在人生最年富力强的岁月中所从事的工作。这种人一开始就失去成功的希望了——这样的牺牲完全不值得。

b. 大多数人的退休生活甚至都不可能永远保持温饱水平。在这样一个世界里——退休生活平均有二三十年之久，而通货膨胀则导致购买力每年平均要下降 2%～4%——即使是 100 万，价值也会大大缩水。原先的预算根本不够。[4] 期盼已久的黄金岁月变成了中低阶层生活的回味。这可是一个亦悲亦喜的结局。

c. 如果原先的储备够用，那表明你是一台雄心勃勃、勤奋肯干的机器。假如情况是这样的话，会怎么样呢？退休一个星期，你就会感到无聊透顶、闲得发慌。极有可能你会去找一个新工作或者开一家新公司。如果这样，你等了一辈子的退休不就失去了意义吗？

---

4. 见 2006 年 3 月 20 日的《巴伦周刊》（*Barron's*）上苏珊娜·麦其（Suzanne McGee）的《活得滋润》（*Living Well*）。

我并不是说不要去为最坏的情况做打算——我已经为了我的 401K 计划（美国一种养老金计划。——译注）和个人退休账户，从个人纳税计划中抽存了很多——但是我不会把退休当作自己的目标。

2. 兴趣和精力有高潮和低谷的周期变化。

假如我给你 1000 万美元要求你连续 15 年每天工作 24 小时然后退休，你会接受吗？当然不会——因为你做不到。这是无法承受的，正如大家经常描述的职业生涯：每天超过 8 个小时做同样事情的结果，要么就是崩溃，要么就是赚够了钱后就此彻底停止工作。

我那些 30 岁左右的朋友们，怎么个个看上去都有地产大亨唐纳德·特朗普或者著名女星琼·瑞佛丝的影子呢？太可怕了——每天 3 杯法布奇诺咖啡和难以承受的工作量，导致过早的衰老。

我们的生存需要将工作和休息交替着进行，更别说我们还需要自我发展了。能力、兴趣和心智的忍耐力都有各自的周期，有高潮也有低谷。我们的计划也应该随之调整。

新贵的目标是把"迷你退休"分配到整个一生，而不是愚蠢地把休息和享乐一再延迟统统放到退休以后。只在身体机能处于最高效的时候工作，生活才会更充实和愉悦。制作蛋糕，并享用蛋糕。就是这样。

目前，我的个人目标是，每两个月的工作之后，就有一个月的海外生活或者一个月的强化学习（探戈、搏击，什么都行）。

3. 少做并不意味着懒惰。

少做些无意义的工作，就能够集中精力做对个人而言更重要的事情，这并不是懒惰。对于大多数人来讲，这好像不太能接受，因为我们的文化更重视个人牺牲而不是个人的产出能力。

很少有人会去（或者有能力去）了解自己工作的成效，继而及时评测出自己的贡献。更多的工作时间，就意味着更多的自我价值，意味着来自上司和周围同事的支持和肯定。可是，新贵花很少的时间呆在办公室里，却能够比十几个非新贵取得更有意义的成果。

让我们重新定义一下"懒惰"——容忍令人不满的现状，让客观环境或其他人决定自己的生活，或者积累着财富，却像走过办公室窗户的路人一样走过自己的人生。银行存款的数额并不能说明什么，花在处理无关紧要的邮件和琐事上的工作时间也不能说明什么。

关键是高效，而不是忙碌。

4. 刻意安排的时间永远都不准确。

我曾经问妈妈她是如何决定什么时候要第一个小孩，就是幼时的我。妈妈的回答很简单："我们当时想要，而且认为没有理由去拖延。生小孩这种事情是刻意安排不了的。"于是，就有了我。

对于所有的重大事情，刻意的安排通常会搞砸。等待一个好时机辞职？但是，正如星空中所有的星星不可能排成一列，人生路上的红绿灯也不可能同时变绿。万事万物不会都和你做对，当然也不会都顺你的意。各种环境条件永远不可能达到完美。"总有那么一天"，这个借口会像疾病一样，将你的梦想和你一起带入坟墓。不断地权衡利弊也没有意义。如果这对你来说很重要，而且"最终"你会这么做，那么现在就做吧，边做边调整。

5. 寻求宽恕，而不是寻求许可。

如果事情并不至于毁掉你周围的一切，那么就试着去做，然后证明它是正确的。人们——无论是父母、伴侣还是老板——情感和本能上也许会拒绝，但是事后，他们会学着慢慢接受。如果事情造成的损失不太大或者有可能弥补，就不要给别人说不的机会。大多数人习惯在你动手做之前就来劝阻，但是一旦你开始做了，他们的阻挠就变得犹豫了。要学会做一个麻烦制造者，真正搞砸的时候也要学会说对不起。

6. 要强调优势，而不是弥补弱势。

大多数人通常只擅长小部分事情，而在其他大部分事情上做得非常糟糕。我就只在产品创意和产品销售方面比较有优势，但在大多数方面就非常差。

我的体质生来就适合举重和投掷，事实上正是如此。但是我一直没有意识到这一点。我尝试过游泳，但看上去像只快要淹死的猴子。我尝试过打篮球，但看上去像个石器时代的野人。这之后，我才成为了一名搏击手，并且一举成功。

相比修理盔甲上的所有裂口，发挥自身的强项则更为有效也有趣得多。选择是：利用强项的倍增效应，而不是持续改进弱项，后者最多也不过是达到中等水平。集中精力充分发挥自己的特长而不是总去对弱项修修补补。

7. 物极必反。

拥有非常多的好东西是可能的。但是如果过头的话，大部分的努力和所拥有的这些好东西就会变成不利因素。于是：

和平主义者变成好战分子；

自由主义战士变成暴君；

祝福变成诅咒；

帮忙变成帮倒忙；

更多变成更少。[5]

太多或者太频繁地占有，原本渴望的东西也变成不想要的。这个道理对于财产甚至时间都同样适用。生活方式设计并不旨在创造过多的空闲时间，这事

---

5. 来自《更少就是更多》（*Less Is More*），高迪安·范德布莱克（Goldian VandenBroeck）著。

实上是有害的，而是致力于积极地利用空闲时间，简单地说，就是做想做的事而不是被迫去做不想做的事。

8. 光靠钱是不能解决所有问题的。

关于金钱作为通货的力量，人们强调得很多（我自己也很感兴趣），但是拥有更多的金钱却并不是我们想要的答案。而之所以产生这种答案，部分原因就是我们头脑懒惰。在我们需要深刻自我反省的时候，或者为了现在而不是将来创造快乐生活做必要决定的时候，一句"要是我有更多的钱"往往成了最简单的借口。我们拿金钱作为借口，拿工作作为心力费尽的理由，很快，我们就只剩下抱怨的时间了："约翰，我很想谈一谈生活中的空虚问题，每天早上当我打开电脑的时候，看到有那么多工作要做，那种绝望的感觉就像被拳头击中眼睛。但是我有这么多的工作要做！我至少要花 3 个小时回复那些无关紧要的电子邮件，然后才能给昨天说'不'的那些潜在客户打电话。"

让自己跟着金钱的车轮忙碌地转动，假装这是解决一切问题的办法，你还想方设法地让自己分心，以至于无视这一切的毫无意义。内心深处，你知道这一切都是假象，但是因为每一个人都在参与同一个虚幻游戏，事情的真相很容易就被忽视了。

这一切绝不仅仅是金钱问题。

9. 相对收入比绝对收入更重要。

关于卡路里的价值，饮食学家和营养学家之间有一些争论。一个卡路里就是一个卡路里，就像一朵玫瑰就是一朵玫瑰一样吗？减肥就是消耗的卡路里要比吸收的多这么简单，或者还是卡路里的来源比较重要？根据和顶尖运动员共事的经验，我知道后者才是正确的答案。

那又如何看待收入呢？1 美元就是 1 美元吗？新贵可不是这么看。

让我们来看一下这个像小学五年级数学题的问题。两个勤奋的年轻人彼此相向出发。年轻人 A 每周前进 80 小时，年轻人 B 每周前进 10 小时。两人每年都有 5 万美元的收入。当他们在午夜相遇时哪一个更富有呢？如果你回答是 B，那么你答对了，这就是相对收入和绝对收入的区别。

绝对收入（absolute income）只有一个神圣而不变的衡量指标：原始却无所不能的美元。比如珍妮每年挣 10 万美元，而约翰每年赚 5 万美元，这样珍妮赚的就是约翰的两倍。

相对收入（relative income）有两个变量：美元和时间，一般以小时计算。"每年"这样的概念太笼统了，很容易蒙蔽人。让我们来看一看实例。珍妮每年赚 10 万美元，每年 50 周，每周赚 2000 美元，每周工作 80 个小时。这样算下来珍妮每小时赚 25 美元。而约翰每年赚 5 万美元，每年 50 周，每周 1000 美元，但是他每周只工作 10 小时，因此算下来他每小时能赚 100 美元。从相对收入角度比较，约翰比珍妮富有 4 倍之多。

当然，相对收入还得和实现目标所必需的最小数额一起考虑。假定我每小时赚 100 美元但是每周只工作 1 小时，我就不可能活得像明星一样潇洒。假定绝对收入的总和是实现我的梦想的保证（并不是和同层次的人去任意比较），相对收入则是对新贵财富的最真实的衡量指标。

最顶尖的新贵牛人每小时至少能赚 5000 美元。而我刚出校门时，只有每小时 5 美元的报酬。这里，我将带你靠近前者。

10. 负面压力是有害的，良性压力则是有益的。

大多数只爱享乐的人并不知道，并不是所有的压力都是坏事。相反，新贵并不打算消除所有的压力，想都没想过。有两种截然不同的压力，就比如兴高采烈和它所对应的烦躁不安之间的差别一样，后者一般不常被提及。

负面压力（distress）指的就是让你变得更脆弱、更不自信和更无能的有害刺激。毁灭性的批评、恶言恶语的上司和当街被捆都是属于这一类。这些是我们尽力避免的事情。

那一天是星期日。

周一，汉斯返回洛杉矶的律师事务所，该事务所位于公司白领趋之若鹜的"世纪城"中。汉斯立即递交了 3 周后辞职的申请。最近 5 年，每天早上听到闹钟响他都会产生同样的恐惧：我还要这样继续 40~50 年吗？有一次，为了第二天早上一醒就继续那个耗尽心力的项目，他就缩在办公室的桌子下面睡觉。那个早晨，他给自己一个承诺：再有两次，我就离开这里。结果，在同样情况连续发生 3 次后，他去巴西度假了。

我们都对自己许下过类似的承诺，汉斯此前也下过这样的决心，但是事情现在有些不一样了。他也不同于以往了。在逐渐衰老的过程中，他意识到——一旦决定冒险，风险就没有那么可怕了。他的同事告诉他的话，早在他的意料之中：他正在放弃所拥有的一切。他正是一名就要步入职业生涯顶点的律师——他到底要些什么呢？

汉斯不完全清楚自己到底想要什么，但是他至少尝试过现在的生活。换言之，他清楚什么让他厌倦至极，让他受够了。他再也不想过这种活死人的日子，再也不想在晚餐时和同事们讨论彼此车骑的优劣了，为一辆新宝马而沾沾自喜直到别人买了一台更昂贵的奔驰为止。所有这一切都结束了。

紧接着，令人惊奇的改变开始了——很久以来，汉斯第一次感受到自己的内心与所做之事之间的平和状态。过去他一直非常害怕飞机遇上气流，仿佛他最好的部分也会因此死去似的。但现在，他已经能在飞越强气流时依然睡得像个孩子般安宁。非常令人惊奇。

一年多以后，他仍不断接到各大律师事务所的职务邀请，但那时他已经开创了一家位于巴西弗洛里亚诺波利斯热带天堂的冲浪探险活动公司，Nexus Surf。在那里，他遇见了梦想中的女孩，一个名叫塔蒂阿娜的巧克力肤色的卡里奥克女孩。大多数时间里，汉斯不是在棕榈树下休闲，就是给客户们带来人生最美好时光的享受。

这难道就是他一直恐惧的吗？

这些日子他在海浪中经常看到以前的自己，疲累又不开心地工作着。在海浪起伏中，真实的情感终于出来了："上帝，我希望可以做你所做的事。"上帝的回答总是相同的："你可以。"

落日的余辉照在海面上，仿佛禅宗般告诉他一个道理：他目前的职业之路并没有画上休止符。如果他想，随时都可以重拾当初放下的律师一职，只不过现在尚不在他的考虑之中。

当他带着客户们经历了狂风巨浪划回岸边时，他的客户们找到了自信，并恢复了镇定。但是他们一踏上岸，现实的一面又出现了："我将来可以，但是我现在不能彻底放弃所有。"

他笑了。

悲观的力量：定义噩梦

> 行动未必一定带来快乐，但没有行动就一定不会有快乐。
>
> ——本杰明·迪斯雷利（Benjamin Disraeli，1804—1881，前英国首相）

做还是不做？试还是不试？无论人们认为自己勇敢与否，大多数人都选择不。未来的不确定和失败的可能让他们感到害怕和担心。大多数人宁愿选择不开心而不是不确定。好多年以来，我设定目标，下决心改变方向，但结果却是什么都没发生。和世界上其他人一样，我也会感到恐惧和不安。

4年前，这个问题偶然间解决了。那时，我拥有很多钱，自己也不知道如何处理这些钱——每个月我可以赚7万美元左右——但是我非常痛苦，比以往任何时候都要痛苦。我完全没有自己的时间，只是拼了命地工作。我当时也开创了自己的公司，最终却发现公司几乎卖不出去。哦，我的天！我感到自己正愚蠢地陷入深渊。我想，我应该能找到出路。我为什么这么傻？我为什么没有办法?！振作起来，不要再做这样一个（插入粗话）！我哪里出错了？事实是，没有什么地方出错。此时，不是达到了我自己的极限，而是达到了生意模式的极限。不是司机的问题，是车的问题。

但是公司发展初期的关键错误让我永远不能将它卖出。我应该请神奇的精灵把我的大脑连到超型计算机上——然而一切都没有用。我的小宝贝有一些严重的先天性的缺陷。接下来的问题是，我如何离开我的弗兰肯斯泰因（Frankenstein，玛丽·沃斯通克拉夫特·雪莱所著《弗兰肯斯坦》中的一个人造怪物，常指脱离了创造者的控制并最终毁灭创造者的媒介或作品。——译注），同时又让它自我生存下去呢？我如何才能摆脱工作狂的倾向，如何才能不再担心如果不这样每天工作 15 小时公司可能会垮掉的问题？如何才能逃离这个自己筑就的监牢？旅行，我决定去旅行一次。环游世界休息一年。

所以，我就出门旅行了？嗯，我会讲到这件事的。一开始，我以为带着半年来的羞愧、困窘和恼怒去四处游走是个不错的选择，但是，一连串无休止的理由让我的环游世界计划一直无法成行。当然，这也是高产出的一段时间。

后来，有一天，我正在想将来的境况不知还有多悲惨时，突然想到一个绝妙的主意。它的确是对我目前"没有快乐只有苦恼"（don't happy, be worry）阶段的重要启示：我为什么不确切描述一下我的恶梦究竟会是什么样呢？——如果我去旅行，最坏的结果是什么？

确实，当我在国外时我的生意可能会失败。而且极有可能。法律警告函碰巧没转发给我，我可能因此被起诉。我的公司可能关门，存货散乱在架子上，而我正孤独而悲惨地踱步在爱尔兰一个冰冷的海滩上。我想那时我正在雨中哭泣。我的银行存款将缩减 80%，我车库里的汽车和摩托车也会被偷走。当我将食物碎屑喂给迷途的小狗时，可能正有人从头顶的阳台向我吐口水，而那只小狗又会窜回来正好在我的脸上咬一口。上帝，生活真是残酷，太不容易了。

战胜恐惧 = 定义恐惧

花几天时间，用最俭省的费用生活，穿最粗糙的衣服，然后问自己："这就是我所害怕的生活吗？"

——塞内加（Senaca，前 4—后 65，古罗马悲剧家）

有趣的事情发生了。在不断自我折磨时，我偶然开始了反向思维。通过定义噩梦、定义最坏情况，我一下子就停止了茫然的不安和模糊的焦虑，也不像从前那样担心旅行的问题了。突然间，我开始思考哪些可能采取的简单步骤能挽救我余下的资源，也开始考虑如果所有不幸都发生，我该如何回到正轨。必要时，我可以去当临时酒吧侍者来付房租。我可以卖掉一些家具，并减少外出用餐的次数。我可以从幼儿园老师身上"偷"些午餐钱，他们每天早晨从我的公寓前路过。选择有很多。我意识到，要回到过去的生活并没有那么困难，更不用说生存下去。这些事情都不会危及生命———一点也不。只不过是人生旅途上的一些考验。

我发现，如果分 1—10 级来评判人生改变的影响力，1 级代表无关紧要的影响，10 级代表永久性的影响。我所谓的最坏情况也许只是 3 级或者 4 级的暂时性的影响。我认为大多数人和大多数所谓的"哦，天哪，我的人生完了"之类的灾难也不过如此。记住，彻底改变人生的噩梦只有百万分之一的发生概率。另一方面，如果我能认识到人生最好的状况，甚至是可能的状况，那么就可以很轻松地让人生朝着积极方向进行永久性的 9 级或者 10 级的改变。

换句话说，我所冒的风险是不太可能发生的、暂时性的 3 级或者 4 级的风险，我所换来的改变却是可能发生的、永久性的 9 级或者 10 级的改变。如果我愿意，我只要多费一点工夫就能轻易地回到最初那种疯狂的工作模式中去。这些思考带来一个重大认识：几乎不存在任何风险，有的只是极可能发生的巨大人生变化，而我也不需要比现在更努力，就能回到过去的生活。

于是，我决定去旅行，并且买了去欧洲的单程机票。我开始计划我的历险行程，并且开始解除一切身心负担。预想中的灾难一个也没发生，而我的人生从此仿佛是童话一般。我的公司经营得比以前更好，要不是因为公司的赢利为我环游世界15个月的精彩之旅埋了单，我都几乎把它给忘了。

找出乐观背后的恐惧

> 悲观主义者说："哦，没希望了，也不要再努力了。"而乐观主义者说："不要再努力了，事情总会变好的。"两者一样，因为什么也不会发生。
>
> ——伊冯·乔伊纳德[6]（Yvon Chouinard, 1938—，
> 狂热的登山爱好者，传奇的成功企业家，坚定的环保急先锋，
> 美国巴塔哥尼亚公司创始人）

恐惧有多种形式，我们一般不会直接称之为恐惧。恐惧本身就让人感到不安。世界上大多数的聪明人都以这种方式掩饰恐惧：乐观的否定。

大多数不想辞职的人一直安慰自己：工作状况会随着时间有所改善，工资也会有所增长。当工作并没有无趣或者无聊到无法忍受时，这个理由看上去还像个说得过去的诱人幻想。只有当工作像地狱般无法忍受，人们才会行动起来。但只要还没到这个地步，人们都会有足够的耐心和理性去忍受。

你真的认为一切会自行改善吗？也许这只是一厢情愿的期待和懒得行动的借口呢？如果你真的相信会有改善，那你为什么还要如此质疑现状？通常你并不相信。这只是隐藏在乐观背后的无名恐惧。

---

6. http://www.tpl.org/tier3_cd.cfm? content_item_id=5307&folder_id=1545.

与一年前相比，你现在是否生活得更好？与一个月前相比呢？或者与一个星期前相比呢？

如果生活没有变得更好，说明一切并不会自行改善。如果你只是在自欺欺人，那么，你该停下来，计划做一下改变了。不要陷入詹姆斯·迪恩式的自我毁灭的结局，人生之路还很长。如果救世主不出现，40~50 年的朝九晚五工作模式未免太冗长。几乎是 500 个辛苦工作的月份啊。

你还要苦撑多久？人生不该再错过了。

一个被称为领袖的人

你过着舒适的生活。但还称不上奢华。不要告诉我是因为钱的因素。我推崇的奢华生活无关金钱。它是金钱买不到的。它是给那些不畏艰苦的人们的回报。

——让·谷克多（Jean Cocteau，1889—1963，法国诗人、小说家、拳击经纪人和电影制作人，他的作品引发"超现实主义"一词的诞生）

有时候，时机正好。在几百辆车绕着圈子寻找停车位时，你正好看到有人把车开出停车位仅仅 10 英尺。真是老天保佑！

有时候，时机不巧。做爱时，电话却响了，而且响个不停。10 分钟后，UPS 快递员又摁响了门铃。时机错误可能搞砸所有的美事。

吉恩—马克·哈奇曾经作为一名志愿者来到西非，满心希望能对当地事务有所帮助。从这个角度而言，他来的时机非常好。他来到加纳时正是 1980 年代早期，当时那里发生了一场武力政变，又处于恶性通货膨胀的时期，同时，加纳还处于一场 10 年罕见的干旱之中。正因为如此，如果从私人生存的角度而言，他到达的时机就不妙。

事前他并没有做好充足的思想准备。到了加纳后他才发现，当地的食品供给已经乱了套，志愿者们连面包和干净的水也没有。接下来的 4 个月里，吉恩只能以烂玉米糊和菠菜为生。这可不是我们在影剧院里点的那种。

"哦，我可以活下来。"

吉恩－马克已不能回头，不过他也并不担心。两个星期后，当他习惯加纳的早餐、午餐和晚餐（加纳的烂糊糊）之后，他已经不想逃离这个地方了。在这里，他了解到，只有最基本的食物和好朋友才是真正的必需品，外界看来灾难一般的日子成为他人生中最为乐观积极的一段；最差也不过如此。要享受生活，你并不需要做那些无谓的白日梦。但你需要学会掌控时间，需要明白大多数事情并不像想像的那么糟糕。

现在，48 岁的吉恩－马克住在安大略的美丽的家中，当然他也可以放弃这一切。他有钱，但也并不担心明天就一贫如洗。他最珍贵的回忆里仍然有加纳的朋友和那里的稀粥。他努力为家人和自己带来一些特别的感受，退休完全不在他的考虑范畴之内。过去的 20 年里他身体健康，处于"半退休状态"。

不要把一切都留到最后。完全没有必要。

问题和行动

我是一个老人，听说过相当多的磨难，但是大多数都没有发生。

——马克·吐温（Mark Twain，1835—1910，美国小说家）

如果你对作出改变感到不安，或者因为对未来不确定性的恐惧而不断推迟改变，以下就是消除恐惧的好办法。看到问题后，写下你的答案，记住，直接写下你的第一反应，不要反复思考。写下答案后，不要修改——尽量写详细。每一个问题都可以花几分钟。

1. **描述你所担心的噩梦，如果现在就做你想做的事，最坏的后果可能是什么。**一想到你能够——必须——做出的巨大改变时，脑海中立即显现的是哪些疑虑、恐惧和"推测"（what-ifs）？尽可能详尽地把它们描述出来。改变会是你人生的终结吗？如果会带来终身后果，以 1—10 级的标准来计算，这些后果真的是终身的吗？你认为这些后果发生的几率有多大？

2. **如何弥补损失或者让事情恢复到正常状态，至少是暂时性地？**实际情况要比你想像的容易许多。如何让事态重新回到你的掌控之中？

3. **对于最可能发生的情况，它的结果和好处会是什么，无论是暂时性的还是永久性的？**既然你已描述了噩梦，那么无论是对内在方面（信心、自尊等），还是外在方面，更有可能发生的、更确定的积极结果会是什么？这些更有可能发生的结果所具有的影响会是什么级别，1~10 级之间？你创造较好的结果的可能性到底有多大？有没有能力比你差的人在你之前成功过？

4. **如果今天你被解雇了，你会做什么来维持生计？**想像一下这种场景，再回头看一下 1—3 题你的回答。如果为了尝试其他的选择你辞职了，然后又不得不回到原来的工作轨道，你会如何做？

5. **你因为恐惧而不断被推迟的计划是什么？**一般说来，我们最害怕做的事正是我们最应该做的事。一个电话、一次谈话，无论是什么事——正是因为担心未知的结果我们才不敢去做。描述一下最糟糕的情况，接受它，然后去做它。我再重复一遍你应该知道的事实：我们最害怕做的事正是我们最应该做的事。

就像我曾听说过的那样，一个人的成功与否通常取决于他或者她主动接受令人不快的谈话的次数。下决心每天去做一件你所恐惧的事情。我克服自身恐惧的习惯就是，不断与社会名流和知名商人联系并寻求他们的建议。

6. 推迟行动的代价是什么——财务上、情感上和身体上？ 不要只去计算行动会带来的后果。对不行动的惨重代价进行权衡同样重要。如果不去追寻自己有热情的事情，一年以后、五年以后和十年以后你会在哪里？受着客观环境的压制，让自己有限生命中的又一个十年流逝在不喜欢的事情上，那是什么感觉？如果你可以用望远镜看到十年后的自己，并且百分之百地肯定这是一条充满失望和遗憾的道路，如果我们把风险定义为"出现不可逆转的负面结果的可能性"，那么不行动恰恰是最大的风险。

7. 你在等待什么？ 之前，我们已经驳斥了所谓好时机的概念，如果你已不再以此为借口却仍然回答不出这个问题，那么答案很简单：你害怕，就像所有其他人那样。评估一下不行动的代价，想清楚大多数失误发生的可能性和弥补措施，养成那些不断超越并享受人生的人的最重要的习惯：行动。

④

系统重启

非理性和不模糊

> "请告诉我，我应该从这里往哪里走？"
>
> "那可得取决于您想去哪里？"猫说道。
>
> "去哪里我都无所谓……"爱丽丝说。
>
> "那么您走哪条路都行。"猫说。
>
> ——刘易斯·卡罗尔（Lewis Carroll，1832—1898，英国数学家），
>
> 《爱丽丝奇境漫游记》（*Alice in Wonderland*）

> 理性的人让自己适应世界，非理性的人坚持让世界适应自己。所以，所有的进步都靠非理性的人。
>
> ——萧伯纳（George Bernard Shaw，1856—1950，
>
> 爱尔兰剧作家，诺贝尔文学奖获得者）

引子：2005 年春，新泽西州，普林斯顿

我不得不利诱他们。我还有其他选择吗？

他们包围着我，尽管他们有着不同的名字，却问着同一个问题："挑战是什么？"所有的目光都集中到我身上。

我在普林斯顿大学的讲课已经在一片兴奋与热情之中结束。但同时，我意识到，大多数学生将来出去做的一定和我所传授的一套截然相反。他们中的大多数人依然会把在咖啡刺激下每周工作 80 小时，作为获得高收入的理所当然的途径，除非我能证明，课堂里讲授的方法是可以被实际应用的。

于是挑战来了。

我提出，谁能完成一个未知的"挑战"，从完成的结果和途径上来评判，要完成得相当漂亮，谁就可以获得一张往返世界上任何地方的机票。我让对此有兴趣的学生课后来找我，于是下课后，60 名学生中的近 20 名来找我。

挑战任务中要求他们必须使用一些我教的方法，这可以测试出学生们墨守成规的程度。任务本身很简单：联系 3 个似乎无法联系到的人——詹妮弗·洛佩兹、比尔·克林顿或 J. D. 塞林格，哪一个都行——至少让其中一人回答 3 个问题。

为了一次免费的环游机会，20 位学生都跃跃欲试，但到底多少人完成了挑战呢？

确切地说……没有人。没有一个人做到。

他们给出了各种借口："不是那么容易找到什么人……""我有一个重要的论文要赶，还有……""我很想做好，但是没办法……"尽管措辞不同，但重复表达的都是同一个真实原因：这个挑战难度非常大，几乎是不可能完成的任务，其他学生一定会做得比他们好的。因为所有的学生都高估了挑战的竞争性，甚至有人不再露面。

其实，依照我事先定好的默认获胜原则，如果有哪位学生哪怕只是给我一小段含糊的回复，我也会把奖品给他。现在，这样的结果让我既迷惑又沮丧。

第二年，结果完全不同。

我把前一年的教训讲给学生们听，结果 17 名学生中有 6 名在不到 48 小时之内就完成了挑战任务。是第二个班级更优秀吗？不是。事实上，第一个班级里优秀的学生更多，但是他们什么也没做。就像给枪装足了火药却不去扣动扳机。

第二个班级在开始行动之前就接受了我教给他们的观点，就是……

做一个不现实的人比做一个现实的人更容易

无论是与亿万富翁联系，还是和社会名流交往——第二个班级的学生都做到了——只要相信它不难做到，就这么简单。

高处不胜寒。世界上99%的人都认为自己不可能取得伟大的成就，于是他们的目标就很现实——中庸。于是，这种"现实"目标的竞争程度成为最激烈的，从而导致中庸人群成为花费时间和精力最多的人群。可是，要知道，筹集1000万美元要比筹集100万美元容易，在一串数字里挑出一个完美的10要比挑出五个8容易。

如果你有不安全感，会怎样呢？世界上其他人也有同样的感觉。不要总是高估对手而低估自己。你比自己所想像的要强。

此外，非理性和不现实的目标更容易实现，还有另一个原因。

在肾上腺素的激发下，你拥有了宏大的目标，同时也拥有了为达到目标而去克服不可避免的考验和磨难的毅力。而现实的目标，即那种抱负和雄心仅限于一般水平的目标，不能激发足够的热情，你勉强撑着解决一两个问题后，就只能认输了。中等的、一般的可预见回报必然换来中等的、一般的努力。我会为了一趟希腊群岛的木筏之旅费尽全力，但我不会为了俄亥俄州哥伦布市的一次周末之旅而节衣缩食。如果只是因为后者"现实"而选择后者，我不会有热情为了实现它去克服哪怕最小的障碍。而为了希腊美丽清澈的海水和美味的葡萄酒，我可以为了这个值得的梦想去战斗。尽管以1—10级来计算实现两者的难度级数时，前者可能是10级，后者可能是2级，但是哥伦布市之行更可能成为泡影。

鱼最少的地方钓到的鱼最鲜美。大多数人都有的不安全感使得大多数人都会选择打安全打（棒球术语：击球手安全到垒的一击，未出错、未引起内野选择和被封杀。——译注），而此时，打本垒打（棒球术语：击球员可打出绕球场一周然后回到本垒得分的一球。——译注）就变得更为容易。目标越宏大，竞争对手越少。

做大事都从正确地提问开始。

你想要什么？首先，换一个更好的问题

大多数人永远也不会知道自己想要什么。我也不知道我想要什么。如果你问我想在接下去的 5 个月中在语言学习方面做些什么，这个我是知道的。这是个具体化的问题。而"你想要什么？"这个问题本身不够精确，不足以产生有意义的和值得行动的答案。所以别问这种问题。

"你的目标是什么？"也是一个让人糊涂和猜测的问题。为了重新表达这个问题，我们要回退一步，从总体上来看。

假设一下，我们有 10 个目标而且我们都达到了——所有的付出换来了什么样的结果呢？最常见的答案也是 5 年前我会建议大家的：快乐。现在，我不再认为这是一个好答案。"快乐"一词因为用得过多而显得廉价了。我想，应该有一个更准确的答案能够反映真正的目标。

请容我先提个问题。快乐的反义词是什么？悲伤？不是。就像爱和恨是一枚硬币的两面一样，快乐和悲伤也是同一事物的可以共存的两面，因为快乐而流泪就是一个很好的例证。爱的反义词应该是冷漠，快乐的反义词则应该是——这才是关键——无趣。

激情是快乐更合适的同义词，它正是你应该努力追逐的东西。它是治愈一切的良方。当朋友建议你跟着自己的"热情"或者"感觉"走的时候，我想他

们实际上指的就是同一个简单的概念：激情。

　　绕完一圈，我们找到了答案。你要问的问题不是"我想要什么"或者"我的目标是什么"，而是"什么让我富于激情？"

成年起步 ADD：冒险失利带来的混乱

　　在大学毕业之后和找到第二份工作之前的这段时间里，一定有一种声音在你的内心响起：要现实点，不要自己骗自己。生活可不是演电影。

　　如果你只有 5 岁，你说将来想成为宇航员，你的父母一定会告诉你：你会做到的。这并没有害处，就像告诉孩子们圣诞老人存在一样。如果你现在 25 岁，宣布自己要开始全新的职业，他们的回答会截然不同：现实点吧，做一名律师、会计师或医生，生几个孩子，然后把他们抚养成人，再如此循环下去。

　　如果你能够不理会这些怀疑，并开创了自己的事业，冒险失利带来的混乱（Adventure Deficit Disorder，ADD）并没有消失，它只是以另一种形式出现。

　　2001 年，在创立 BrainQUICKEN LLC 公司时，我的目标很明确：不论是忙得烦躁不安地敲击电脑，还是悠闲得在海滩上修剪脚指甲，每天都要赚 1000 美元。公司应该是自动进账的现金流来源。通过我的"劣迹"年表，可以很明显地发现，在公司差点倒闭之前，除了必要的基本收入，这样的自动进账情况并没有发生。为什么？因为我当初的目标不够具体明确。我没有明确过代替最初工作量的替代事务（alternative activities）究竟是什么。于是，即使并没有什么钱财上的需要，我也在不停地干着。我需要这种高产出的感觉，没有其他的途径可以让我有这种感觉了。

　　这就是大多数人工作到死的原因："有 X 美元之后我就不做了，然后，就做些自己想做的事情。"如果你没有明确"我想要什么"的替代事务，那么这个思维空白的不确定性所带来的恐惧感，只会使 X 的数额无限地、不停地增长。

这时，无论是普通员工还是企业老板，都变成了坐在红色宝马车里的胖子：无趣，尽管有一点钱。

红色宝马敞篷车里的胖子

在我一生中有几个重要时刻，其中两个重要时刻——在我被 TrueSAN 公司解雇之前，以及在我为了防止自己拿着一把乌兹冲锋枪冲进麦当劳而选择离开美国之前——我都看见了自己的未来，我不过是又一个经历中年危机的坐在宝马车里的胖子。只要看看那些和我在同样的生活工作轨道上的比我年长 15~20 岁的人，无论他们是销售总管还是同一行业中的企业老板，这样的前景都让我感到恐慌。

这种恐慌是如此强烈，简直是所有恐惧之和的完美再现。于是，这种恐惧给我和另一位生活方式设计者兼企业家道格拉斯·普莱斯两人带来生活方式的改变。在最近 5 年里，道格和我经历相似：我们面对过同样的挑战和自我怀疑，因此，相互间也一直非常关注对方的发展。我们像个团队一样，共同面对不断来临的颓废时期。

当我们中任何一人开始放低要求、失去信心或者"接受现实"的时候，另一个就会像个戒酒协会的劝导员一样，及时打电话或者发邮件过来："伙计，你又变成红色宝马敞篷车里的秃头胖子了吗？"这样的前景太可怕了，通常我们立即会收拾颓态回到原先的轨道上。最糟的不是倒闭或者一无所有，而是继续忍受终身不变的无趣现状。

记住——无趣才是真正的敌人，而不是所谓的抽象的"失败"。

纠正路线：变得不现实

当宝马车里的胖子开始晃动丑陋的脑袋时，我有一个以前用过至今仍然可行的办法，来点燃生活的激情或者纠正生活的路线。某种程度上，这个办法和我在世界各地遇见的最令我记忆深刻的新贵所用的方法如出一辙：圆梦计划（dreamlining）。之所以称为圆梦计划，是因为它在大多数人所理解的梦想(dream) 上加入了时间限定（timelines）。

它与制定目标（goal-setting）更为接近，但是两者在几个关键的方面有所不同：

1. 目标不只是野心，更是明确的步骤。
2. 目标要不切实际才更可行。
3. 它致力于填补因为不再继续目前的工作而产生的空虚。像百万富翁一样地生活意味着做有趣的事情，而不只是拥有令人羡慕的东西。

现在是你实现宏大梦想的时刻了。

问题与行动

存在的空虚主要体现在无趣的状态上。

——维克特·弗兰克尔（Viktor　Frankl，1905—1997，奥地利心理学家）

人生太短暂，不要太平庸。

——本杰明·迪斯雷利（Benjamin Disraeli，1804—1881，前英国首相）

圆梦计划会非常有趣，但是也非常的不容易。越不容易，就越需要它。为了节省时间，我建议你使用 www.fourhourworkweek.com 网站上的自动计算器和表格。完成下列步骤时请参考 55 页的样本表格：

1. **如果不会失败，你会做什么？如果你比世界上其他人聪明 10 倍，你会做什么？**

   创建两个时间表——6 个月的和 12 个月的——请每栏列出 5 种：A 栏，你想拥有的东西（可以包括但不限于物质需求：房子、车子、服饰等）；B 栏，你想成为的人（一个伟大的厨师、精通汉语的人等）；C 栏，你想做的事（去泰国玩、在海外寻家谱、和鸵鸟赛跑等）。如果你觉得在某方面写出自己想要的东西比较困难，可能大多数人都会有这样的感觉，那么就想一想自己在这方面最憎恶和最恐惧的东西，然后写下来。不要限制自己的思维，也不要考虑这些梦想如何才能实现。现在这些都不是重点。这是一个释放压抑感的训练。

   填写时不要违心也不要欺骗自己。如果你想得到一辆法拉利，就不要因为愧疚而写上"解决世界饥饿问题"。有人希望成名，有人希望发财，有人希望取得社会地位。要知道，每个人都有自己的缺点和不安全感。如果某些事情的确能给你带来成就感，就把它写下来。我有一辆摩托赛车，我买它不是因为我喜欢速度，而是我觉得它能使我看上去更酷。这并没有什么错。把你所有的真实想法都写下来。

2. **画一个表格？**

   尽管每个人都在抱怨自己的梦想被延误，但大多数人对自己被延误的梦想到底是什么也说不太清楚，尤其是"想做的事情"这一栏。如果是这样，请考虑一下以下问题：

   a. 如果你有 1 亿美元的银行存款，你每天会做些什么？

b. 每天早晨醒来时什么事情让你最兴奋?

不要急, 好好想一想。如果仍然想不出来, 在"想做的事情"一栏里填写以下 5 种:

要去一个地方

死前要做的一件事（一生值得的回忆）

每天要做的一件事

每周要做的一件事

一直想学的一件事

3. 要成为"想成为的人"需要做些什么?

把每一种你"想成为的人"转化成一项你"想做的事情", 这样就更可行了。明确怎样才能成为那样的人, 或成为那样的人的评判标准是什么。人们很容易先想到"想成为的人", 但是这只是"想做的事情"的前期铺垫而已。比如:

伟大的厨师 → 独立完成圣诞大餐

精通汉语的人 → 和中国同事进行 5 分钟的中文交谈

4. 哪 4 个梦想最重要?

在 6 个月的时间表上, 画星号或以其他方式标记出 4 种你最感兴趣或你认为最重要的梦想。也可以在 12 个月的时间表里选择并标记。

5. 计算一下两张时间表上梦想实现的代价, 并且计算出目标月收入额 (Target Monthly Income, TMI)。

如果经济上可行, 那么每月需要为实现这 4 个梦想（房租、抵押、分期付款等）花费多少? 在考虑收入与支出时, 学着按每月的资金流动情况——收入多少和支出多少——而不是大额的总数来考虑。通常来说,

圆梦计划样本表格

目标月收入额
A+B+C+ (1.3×每月支出)
=
TMI: $3337+ ($2600) =$5937
÷ 30
=
TDI: $197.90

6个月内我的梦想

第①步：想拥有的东西 / 第⑥步：成本

想拥有的东西	成本
* 1. 阿斯顿·马丁 DB9 型跑车	1. 每月$2003
2. 19 世纪的围棋盘	2.
* 3. 个人助理	3. 每小时$5× 80=$400
4. 日本武剑道盔甲	4.
5.	5.
	A=$2403

第②步：想成为的人 / 第④步：想做的事情 / 第⑤步：成本

想成为的人	想做的事情	成本
1. 有灵活的工作时间和地点的人	→ 1. 自由的时空	1.
2. 最畅销书的作者	→ 2. 每周卖出 20000 本	2. $0 (3次自由时间的免费实习，打媒体电话)
3. 熟练掌握希腊语的人	→ 3. 和希腊人交谈 15 分钟	3.
4. 很棒的厨师	→ 4. 为 6 个人做感恩节大餐	4.
5.	→ 5.	5.
		B=$ 0

第③步：想做的事情 / 第⑤步：成本

想做的事情	成本
1. 卖出一部电视节目	1.
* 2. 去克罗地亚海岸	2. 来回双程机票$514, $420 房租
3. 找到聪明美丽的女朋友	3.
4.	4.
5.	5.
	C=$934

现在要做的事情

1. 找到展厅，安排试驾
2. 在 3 个大网站上张贴雇佣要点
3. 给之前成名的 5 名最畅销书作者写信询问最重要的 3 个问题
4. 上旅游网站定出 5 个最想去的地方

明天要做的事情

1. 试驾
2. 给应征的前 3 名候选人每人分派 1~2 小时的任务
3. 根据回复成形计划（市场和公共关系）
4. 花 3 个星期研究票务和住宿，并且邀请朋友同住

之后要做的事情

1. 决定交易细节等事务
2. 挑选最好的候选人为自己每周工作 20 小时
3. 给附近大学的英语系发邮件要求招实习生
4. 即使朋友本不去，也要为自己预订票务

圆梦计划表格

目标月收入额
A+B+C+ (1.3×每月支出)

TMI: =

+ 30 =

TDI:

第 ❶ 步：想拥有的东西　　　第 ❻ 步：成本

1.
2.
3.
4.
5.

A=

第 ❷ 步：想成为的人　　　第 ❹ 步：想做的事情　　　第 ❻ 步：成本

1.
2.
3.
4.
5.

B=

第 ❸ 步：想做的事情　　　第 ❻ 步：成本

1.
2.
3.
4.
5.

C=

现在要做的事情

1.
2.
3.
4.

明天要做的事情

1.
2.
3.
4.

之后要做的事情

1.
2.
3.
4.

( ) 个月内我的梦想

实际花费要比预期值少很多。比如，一辆来自展厅的崭新兰博基尼 Gallardo Spyder 型跑车售价 26 万美元，相当于每月分期付款 2897.8 美元。我在 eBay 上发现了一辆已跑里程 1000 英里的我个人最喜爱的阿斯顿·马丁 DB9 型跑车，只卖 13 万 6 千美元——平均每月付 2003.1 美元。还有，你能想像一次世界环游旅行（洛杉矶→东京→新加坡→曼谷→德里或者孟买→伦敦→法兰克福→洛杉矶）只要 1399 美元吗？

具体方法会在 14 章"迷你退休：拥抱移动生活"的结尾"附录：工具和方法"里提到。

最后，在时间表里，计算一下实现圆梦计划所需的目标月收入额。方法如下：

首先，在 A，B，C 三栏中，分别将选中的 4 个梦想每月支出相加，计算总数。如果有些栏中梦想每月支出总和为零，也没关系。

其次，将所有栏的每月支出相加并乘以 1.3 倍（乘以 1.3 表示在支出之外，预留 30% 的机动余地用于保险或者储蓄）。这个大额数字就是你的目标月收入额，也是阅读本书过程中要时刻牢记的目标。

我进一步把这个目标月收入额除以 30 得到目标日收入额（Target Daily Income，TDI）。我认为每日目标比较容易操作。我们相关网站上的在线计算器可以为你做出所有的计算，这一步骤变得很容易。

6. **为 6 个月时间表中的 4 个梦想制订三步计划，现在就开始实施第一步。**

我并不太相信长期的计划和遥远的目标。事实上，一般我只制订 3 个月和 6 个月的圆梦计划。各种变量太多，而未来的遥远将会成为不断推延行动的理由。因此，这项训练的目的并不是要你从头到尾概述每一步骤，而是确定最终的目标，确定达到这些目标的必备途径（TMI，TDI），并为关键的最初几步的实施提供动力。从那之后，我们要做的就是解放时间和产出 TMI 了。这些在以后的章节里都有阐述。

首先，着重注意关键的最初几步。为每一个梦想确定三个有助于实现梦想的步骤。计划行动——简单明确的行动——现在要做的事情、明天要做的事情(上午 11:00 前完成) 和后天要做的事情 （也是在上午 11 点前完成）。

确定实现每一个梦想的三个步骤之后，在"现在要做的事情"一栏中写上三项行动，现在就开始做。每一项应该都很简单，能够在 5 分钟之内完成。如果 5 分钟之内不能完成，就把这个步骤分解。如果现在正是午夜，不方便给他人打电话，就做点别的，比如给他人发送电子邮件，并提醒自己明天一早就打电话。

如果下一步是某种探求查找性的工作，就直接联系知道答案的人，而不要花太多时间在书本和网络中查询，否则对查询结果的解析过程会让整个行动止步不前。我所推荐的最佳方案，就是向做过同样事情的人寻求建议。而这并不困难。

其他方案还有通过给教练、老师或销售人员打电话或预约见面获得动力。如果取消事前安排的私人课程或者个人承诺，你一定会感到愧疚吧？利用这种愧疚感，使之成为行动的动力。

明天永远不会来。不论任务多么简单，现在就去做第一步！

挑战训练

最重要的行动永远不会令人舒适。

幸运的是，你可能通过自我调整来应对并克服这种不适感。我就曾努力让自己做到：提出解决办法而不是去问别人，主动引导对方给出自己想要的反应而不是被动地等待，坚持自己的主张又不去得罪所有人。要想拥有一种不寻常的生活方式，你就得培养为自己和他人做决策的不寻常的习惯。

本章之后，我将带你经历更多令人不适的各种训练，但这些训练都非常简单。有些训练看上去相当的简单，甚至毫不相干（比如下面的训练），但当你开始尝试就知道其中奥妙了。你只需把它们当成游戏，期待从中得到小小的奖励——就是这样。大多数训练历时 2 天。在日历上标记每天所做的训练。每次只能进行一项挑战训练。

记往：适应能力的提高与需求的满足是有直接联系的。

让我们开始吧。

学会凝视（2 天）

我的朋友迈克尔·埃尔斯伯格发明了一种单身人士参加的活动：凝视（Eye Gazing）。这和 8 分钟约会很像，最根本的不同是——不能说话。游戏双方互相凝视对方的眼睛，每次 3 分钟。游戏中，你一定会发现大多数人这样做时非常不自在。接下来的 2 天里，训练自己凝视他人的眼睛——无论是街头路过的人还是谈话的对象——直到对方把眼睛移开为止。提示：

1. 视线集中在对方的一只眼睛上，别忘了偶尔眨几下眼睛，以免被别人当成精神病患者或者招来一顿打。

2. 在谈话中，倾听别人说话时凝视对方比较容易，当自己在说话时，也要注意保持与对方的眼神交流。

3. 最好以那些比自己年长或更自信的人为凝视对象。如果某个路人问你究竟在看什么，你只要微笑着回答："不好意思。我以为你是我的一个老朋友。"

第二步：E——精简

Step II: E is for Elimination

不是积聚而是精简。不是每天增加而是每天减少。

文明的程度总是向着更简单的方向变化。

——布鲁斯·李（Bruce Lee，1940—1973，

即华人英雄李小龙，世界武功片电影表演家）

第三步：E——排而

Step II: E is for Elimination

25%

❺

时间管理的终结
幻想与意大利人

完美不是指再没有东西能增加上去了，而是指再也不能拿走一样东西了。

——安托万·德·圣埃克苏佩里（Antoine de Saint-Exupéry，1900—1944，
法国作家，以童话《小王子》闻名于世）

对于可以用不多的精力就能完成的事情，过多的投入就是愚蠢。

——奥卡姆的威廉（William of Occam，1300—1350，
"奥卡姆剃刀原理"创始人）

对于时间管理只有一句话：忘了它吧。

从最严格的意义上来说，你不应该每天都想着去做更多，也不应该让每一秒钟都充满了工作的烦恼。我自己花了很长时间才领会到这点。我也曾非常热衷于那种以数量定绩效的方式。

"我正忙"常成为逃避非常重要却令人不适的行动的伪装。"忙碌"的原因数不胜数：可以给数百个不称职的销售助理打电话，可以将 Outlook 的联系人地址簿重新分组，可以穿越办公室去拿一些事实上并不需要的文件，或者可以花上好几个小时仔细研究自己的黑莓商务手机，而所有这些，你本应该分个主次先后。

事实上，在大多数美国公司里，如果你想获得升职机会，假设老板不会真的来检查你做了些什么（让我们坦诚一点），你只需一手将手机放在耳边、一手拿些文件在办公室内到处走动就行了。瞧，那家伙是个忙碌勤奋的员工！给他加工资吧。不幸的是，在新贵看来，这样的行为既不能帮你逃离办公室也不能帮你登上飞往巴西的飞机。伙计，用报纸把自己敲敲醒，就此住手吧。

毕竟，还有一个非常好的选择，它不是仅仅增加成果——而是成倍地增加成果。不管你是否相信，做得少收获得多不仅是可能的，而且是肯定的。

进入精简的世界。

如何利用工作效率

你已经明确知道了要抽时间去做哪些事，现在，就要解放出自己的时间。技巧就是用来帮你在保持或者增加现有收入的同时，解放出你的时间。

本章的目的就是使你的工作效率得到 100%~500% 的增长，只要遵循书中的方法，你就将亲身体验到这一变化。不论是员工还是老板，法则都是相同的，但两者增加生产力的目标却截然不同。

首先，对于员工而言。员工提高工作效率是为了增加谈判砝码，从而达到两个目的：加薪和远程工作。

回忆一下，本书第一章中曾提到，成为新贵的一般顺序是 D—E—A—L，但是如果依然想保住目前的工作职位，则需要采用 D—E—L—A 的顺序。环境差异就是原因。员工们的工作环境是办公室，在达到一周工作 10 小时之前，他们得先把自己从这种环境中解放出来。因为在办公室这样的环境中，员工们就应该朝九晚五地不停忙碌。即使你的工作成效是过去的两倍，但如果你只用同事们 1/4 的时间来工作，公司也极有可能将你解雇。或者，即使你一周工作 10

小时的产出是其他人工作 40 小时的两倍，老板对你的期待仍会是："一周工作 40 小时吧，产出 8 倍的成效吧。"这是一个看不到尽头的游戏，而你不想参加。于是，第一需要的就是**解放**。

如果你是一名员工，本章将提升你的价值，让公司宁愿接受你的加薪或远程工作要求，也不愿忍痛解雇你。这就是你的目的。一旦目的达到，你就可以不受官僚们的干预而自由支配自己的时间，从而实现自己的梦想。

对于企业老板而言，他或她本人就是企业利润增长的直接受益者，所以目的变得更简单，那就是在继续增加收益的同时减少工作投入。这将为**自控**做好准备，也为**解放**铺平了道路。

对两者而言，以下一些定义都是适用的。

有效率 VS.有效益

效率（effectiveness）指的是做那些使自己能更接近自己目标的事情。效益（efficiency）指的是尽可能以最经济的方式完成一项给定的任务（无论任务重要与否）。全世界公认的做事模式就是：无论效率如何，有效益就好。

从这种意义上来说，最佳的上门推销人员是有效益的——也就是说，非常熟练而有技巧地上门推销，从不浪费时间——但绝对是没有效率的。他或者她完全可以通过电子邮件或信件等更好的方式卖出更多的产品。

同样，每天 30 遍地查阅电子邮件，给文件夹进行精细微妙的分类整理，用一套深奥复杂的方法来快速处理这 30 次脑筋短路，这也是有效益但没有效率的行为。我就曾是这种无效忙碌的专家。从某种角度看，这样做也是有效益的，但完全没有效率。

以下是两条要牢记的真理：

1. 不重要的工作做得再好，也不会变得重要。

2．耗时的工作并不等同于重要的工作。

从此刻开始，请记住：做些什么当然比如何去做更为重要。有效益当然很重要，但是如果不是用在正确的事情上，有效益也就是徒劳的。

要找到正确的事情，我们需要走进花园。

帕雷托和他的花园：80/20 和不再做无用功

计算过的事情才能成功。

　　　　　——彼得·德鲁克（Peter F. Drucker，1909—2005，作家，管理顾问，

　　　　　大学教授，被誉为"现代管理学之父"，美国总统自由勋章获得者）

4 年前，一个经济学家永远地改变了我的一生。一直没请他喝一杯真是太遗憾了。我亲爱的维尔弗雷多死了快 100 年了。

维尔弗雷多·帕雷托（Vifredo Pareto，1848—1923）是一位充满智慧且富有争议的经济学家和社会学家。他以一名工程师的身份，尝试了各种不同的管理实践，后来继里昂·瓦尔拉斯之后在瑞士洛桑大学担任政治经济学教授。他的重要代表作品《政治经济学手册》，谈到一个当时鲜有人研究的收入分配法则，这个法则后来以他的名字命名为"帕雷托法则"或者"帕雷托分配法"，最近十年又通称为"80/20 法则"（80/20 Principle）。

帕雷托用来说明社会财产分配的极端不平等性和可预测性的数学公式——80%的财产收入由 20%的人口所生产和占有——不仅仅应用于经济学。事实上，几乎在任何领域都可以发现它。比如，帕雷托花园里 80%的豌豆都是从他种的20%的豌豆荚里出来的。

帕雷托法则可以用一句话概括：80%的产出来自 20%的投入。根据不同的

具体情况可以用不同的方式表达这句话：

80%的结果源于20%的原因。

80%的成果来自20%的时间和精力。

80%的公司收入来自20%的产品和客户。

80%的股市盈利由20%的投资者和20%的个人投资来实现。

条目可以无限延续而且多种多样，而比例常常会不对称甚至加大：90/10、95/5、99/1并不少见。但80/20是人们寻求的最低比例。

一天傍晚我偶尔翻到帕雷托的书，当时，我正陷在一周7天每天15小时繁重而无望的工作苦海中，凌晨就得打电话去英国处理事务，正常的朝九晚五工作时段则处理美国本土的工作，忙到午夜再打电话处理日本和新西兰的事务。我就像困在一列脱轨且没有刹车的货车上，因为没有选择所以只好不停地加马力。于是，出现了两种选择：要么筋疲力尽直到崩溃，要么尝试一下帕雷托的建议。我选择了后者。第二天早晨，我开始思考下面两个问题，重新审视我的工作和个人生活：

1．到底是哪20%的原因造成我80%的问题和不快乐？

2．到底是哪20%的原因带给我80%的理想成果和快乐？

整整一天，我把所有貌似紧急的事务都放在一边，尽可能全神贯注地进行我的审视分析，用这两个问题分析所有的事情，包括我的朋友、客户、广告以及休闲活动等等。做这些，不是为了发现自己所有的事情都做得很对——事实常常相反。目的只是为了发现自己的低效之处，学会精简，找到自己的优势并充分地发挥它的效能。在接下来的24小时里，我做了一些简单但在情感上不容易做到的决定，从而真正地永久地改变了我的人生，让我能够拥有现在享受的生活方式。

　　我做的第一个决定很好地证明了这个分析精简的方法多么快速有效：我不再联系我95%的客户，而且彻底取消2%的客户名单。最后只留下3%的最优秀的生产商继续销售和生产。

　　120多位批发客户中的5位就能带来95%的收入。而我98%的时间都用来与其余的客户们进行交涉。而前面提到的那5位客户全都是定期订货，不用打催促电话也不用费口舌说服。换句话说，我一直在忙碌，只是因为我觉得在上午9点到下午5点之间我应该做些什么。我并没有意识到每天从早上9点一直工作到下午5点并不是生活的目标，这只是大多数人的日常模式而已，不管是否必须如此。而我这种极端的情况就是为工作而工作，这是新贵词汇中最受鄙视的词语。

　　所有的问题和抱怨，我指的是百分之百，都来自于这些低效的大部分客户，除了两个大客户，他们做生意的一贯风格是典型的"我把事情搞砸了，你帮我收拾干净"。我把所有这些超低产出的客户都搁置一边：如果他们订货，那当然好——把订货单传真过来。如果他们不订货，我不会再追在他们身后，不再打电话，也不再发电子邮件，什么也不做。这样我只需要应付那两个大客户了。他们的生意一向很难谈，但是当时却占公司实际收入的10%左右。

　　总是这样，正是犹豫不决才造成各种各样的问题，而根本不是因为自怨自艾引起的。我将他们的恫吓、侮辱、费时的争论和辩解都当成做生意的一种代价。在应用80/20法则进行自我分析时，我发现那两个大客户几乎是我一天所有的不快乐和愤怒的源头，而且还会继续影响到我的私人时间，让我在深夜还得忍受"当时我应该如何如何去反驳那个混蛋"的自我折磨。我所赚得的收入根本抵不上我的自尊和心情所遭受的影响。我并没有想过自己为什么需要钱，就想当然地以为自己需要它。客户永远是对的，不是吗？为了生意嘛，不是吗？该死的，不是这样的。至少对新贵而言不是这样的。我炒了他们的鱿鱼，觉得非常开心。我们之间的第一次谈话是这样的：

客户："怎么回事 &#@$？我订了两份货，居然迟了两天到货。（注意：我曾经反复提醒过对方，但对方仍然用错误的方式把订货单发给错误的人。）你们这群人真是我合作过的人中最无组织性的一帮白痴。在这行我干了 20 年了，这是最糟糕的一次。"

任何一位新贵——这里，就是指我："我要杀了你。你小心点，一定要小心点。"

我真想那么说。在脑海中，我已经练习了百万次这样的回答，但是现实中我是这样说的：

> 听到这样的情况我非常地抱歉。您知道，对于您的不敬我已经忍受好一段时间了，非常不幸的是，我们的生意可能不能再做下去了。我建议您好好想想这样的不快和愤怒是怎么来的。无论如何，我祝您一切顺利。如果您想继续订购我们的产品，我们是非常乐意为您提供服务的。但是前提是，请您注意言行举止的得体。您是知道我们的传真号码的。就这样，祝您开心。（挂断）

我打过一通这样的电话，也发过一封这样的电子邮件。结果是什么？我失去了一位客户，但另一位则改正言行，一直不断地将订货单传真给我。问题解决了，利润损失最小化。我立即比之前快乐了 10 倍。

然后我分析了公司前 5 位客户的共同点，在接下来的一周里，针对 3 位类似风格的买主，进行关系巩固工作。记住更多的客户并不意味着更多的收入。更多的客户不仅不是最终目标，反而会带来 90% 的额外工作和仅为 1%～3% 的收入增长。不要再犯错了，终极目标就是以最少的投入（也包括最少数目的客户）获得最大的利润。我强化我的优势——我最重要的生产商，集中精力增加他们的订货数额和订货频率。

最终结果是什么呢？我不用追着 120 个客户乞求订单，不用打说服的电话，也不用长篇大论地写电子邮件去和对方理论，就可以从 8 个客户那里收到大笔订单。4 周之内我的月盈利就从 3 万美元增长到 6 万美元，而我每周的工作时间一下子从 80 小时减到 15 小时左右。最重要的是，我自己能感受到快乐，在过去两年中第一次感到乐观和自由。

接下来的几周里，我把 80/20 法则应用到其他几个方面，包括：

1. 广告

   我明确哪些广告带来了 80% 以上的收入，找出这些广告的共同之处，然后进行强化，同时撤除其他所有广告。我的广告费用立即减少了 70%，而我的直接销售收入在 8 周之内从每月 1 万 5 千美元一下子增加到了 2 万 5 千美元，几乎翻倍。如果我放弃长期使用的杂志广告而采用电台、报纸和电视广告，销售一定会马上翻倍。

2. 网上加盟机构和合伙人

   我解雇了超过 250 个低产出的网上加盟机构，把其中一些变成持股形式，从而把精力集中在两个给公司带来 90% 收入的加盟者身上。我的管理时间从每周 5～10 小时降到每月 1 小时。同一个月里，网上合伙人的收入也因此增长了 50% 以上。

放慢步子，记住这一点：大多数事情看上去并没有多大差别。显得忙碌只是懒惰的一种形式——懒于思考和未经选择地去行动。

看上去显得忙碌，通常和无所事事一样地低效率，而且更让人生厌。做事情有所选择——少做，才是通往效率的途径。集中精力做少数重要的事，其他的就不用管了。

当然，在全新环境（无论是一份新的工作或者新的创业经历）中，在能够分清主次和轻重之前，你需要花一定时间想清楚，什么才是最重要的。把一切都扔到墙上，看看什么能粘住。仔细选择是整个过程中必需的一部分，但不应花费一个月或者两个月的时间。

我们很容易陷身于琐事之中，逃脱的关键是要记住时间不够实际上是因为主次不分。花时间停一停，闻闻花香，或者——像这样——数一数豌豆荚。

朝九晚五的幻想和帕金森法则

我看到一家银行写着"24 小时营业"，但是我可没有那么多时间。

——史蒂文·赖特（Steven Wright，1955—，美国喜剧演员）

如果你是一名员工，把时间花在无意义的事情上，在某种程度上，不是你的错。没有一定的利益，一般人是没有动力去好好利用时间的。这个世界已经习惯在上午 9 点到下午 5 点的时间段里工作，既然你在该时间段里受雇佣必须呆在办公室里，你就不得不找各种事情来打发这段时间。因为有的是时间，所以时间就被浪费掉了。这是可以理解的。但现在，既然你的新目标不再是每月定时领工资，而是去商量要求远程工作，那么，面对同样的工作现状时，你就要变得有效率起来。最好的员工才有最大的谈判砝码。

对企业老板而言，浪费时间是一个不好的习惯，也是模仿的结果。我也不例外。大多数企业老板都曾做过员工，受到朝九晚五文化的影响。于是，他们会采用同样的日程表，无论他们设定的目标利润是否一定需要上午 9 点开工或者一天 8 小时的工作。这样的日程表是一份集体的社会契约，也是以数量定绩效的方式的古老的遗留物。怎么可能全世界所有人都正好需要 8 小时来完成工作？不可能。朝九晚五只是随意制定出来的规矩而已。

你没必要为了成为一位真正的百万富翁而每天工作 8 小时——更不用说只

要活得像个百万富翁了。每周工作 8 小时都嫌多了，当然，我并不指望大家现在都相信我。我知道你怎么想，我自己有很长一段时间也那么想：一天的时间真的不够多。

那让我们来考虑一些有可能达成共识的事情。

因为有 8 小时的时间要填满，我们才有满满 8 小时的工作。如果我们有 15 个小时，我们就会工作 15 个小时。如果有一件紧急的事情需要我们 2 小时后停止手头工作，而工作又不能拖延，神奇的是，我们往往会在 2 小时之内完成所有这些工作。

这与 2000 年春天爱德·兹肖告诉我的一个法则有关。

我忐忑不安地回到普林斯顿的课堂，但并不能专下心来。占学期分数 25% 的期末论文要在 24 小时之后上交。论文的选择之一，也就是我当初的选择，是采访一家刚创业的公司的主要负责人，然后写一篇关于该公司运营模式的深度报道。公司的主要领导在最后一刻决定，由于相关保密因素和公司挂牌上市之前的预防措施，我不能采访两位重要负责人，也不能使用该公司的信息。我觉得这事彻底没戏了。

课后，我去找爱德告诉他这个坏消息。

"爱德，我想我的论文可能要延期。"我解释了现在的情况，爱德笑了，显得一点也不担心。

"我想你应该没问题的。企业老板是促使事情发生的人，不是吗？"

24 小时之后，最后时限的前一分钟，当爱德的助理正在锁办公室的门时，我交上了 30 页的期末论文。我找到并采访了另一家公司，赶出了这篇充满了浓浓的咖啡味道的论文。弥漫的咖啡因剂量足以取消一整支奥运会径赛队伍的参赛资格。结果这篇论文是我 4 年里写得最好的论文之一，我得了一个 A。

就在前一天离开教室时，爱德给了我一个关键性的建议：帕金森法则（Parkinson's Law）。

帕金森法则认为，任务的重要性和复杂度与所分配的完成任务的时间密切相关。这就是不断迫近的最终时限的魔力。如果给你 24 小时去完成一项任务，时间的压力促使你集中精力去执行，别无选择只能做最重要的部分。同样的任务，如果给你 1 周去完成，它就换来了小题大作的 6 天。如果给你 2 个月的时间，但愿不要这样，它就变成了一场精神磨难。因为精力更高度集中，短时限内做出的最终产品通常不比长时限内做出来的差，甚至质量更高。

这反映了一个非常奇怪的现象。增加成效有两种顺序互相颠倒的办法：

1. 只做重要的事情以减少工作时间（80/20 法则）。
2. 减少工作时间来做最重要的事情（帕金森法则）。

最好的解决办法是两个一起用：确定几件影响收入的重要事情，用非常短和清楚的时限来计划它们。

如果还没有正确选定目标重要的任务，就莽撞地开始和结束，那些不重要的事情就会摇身变成重要的事情。即使你知道什么才是重要的事情，但如果没有设定完成任务的时限，那些强加到身上的（或突发的）次要事情就会不断地出现，不断占有你的时间，一天下来你会一事无成。除了去 UPS 寄一个包裹、预约几次会面和查阅电子邮件之外，朝九晚五的一整天还能干什么呢？不要感到难过。过去，我好几个月都在干这样那样的次要事情，感觉好像是公司在管理我，而不是我在管理公司。

80/20 法则和帕金森法则是两个重要的基础概念，在这一部分里，我们还会看到它们的不同形式。大部分的投入都是无用功，浪费的时间与得到的时间成正比。

只有对高负荷工作量的有效限制，才会迎来优异的效率和时间的自由。下一章节，我们将介绍冠军的早餐：低信息食谱。

一打蛋糕和一个问题

喜欢忙碌并不是勤奋。

——塞内加（Seneca，前4—后65，古罗马悲剧家）

加利福尼亚州，山景城

"星期六是我的休息日，"我对盯着我看的一群陌生人解释道，他们是我一个朋友的朋友。这是真的。你会一周七天都吃全麦食品和鸡肉吗？我也不会。不要随便下结论。

吃了第10个还是第12个蛋糕，我扑通一下坐到沙发上，沉醉于甜品的愉悦之中，直到时钟敲响午夜12点，我重又开始周日至周五的成人饮食菜单。我旁边的椅子上还坐着一个参加聚会的客人，他慢慢地品着一杯葡萄酒，这虽然不是他的第12杯，但也一定不是第一杯。于是我们开始交谈。像往常一样，我不得不面对这个问题："你干些什么？"同样，像往常一样，我的回答让对方以为我要么是个爱胡说八道的疯子，要么是个犯罪分子。

怎么可能用这么少的时间来保证收入水平？这是个不错的提问。这才是一个问题。

在任何方面，查尼都算得上应有尽有了。他有一个幸福的婚姻，有一个两岁大的儿子，还有一个孩子应该3个月后就要降生。他是一个成功的技术销售人员，尽管和其他人一样，他还想每年多赚50万美元，但目前来说，他的收入还是非常稳定的。

他也提出了不错的问题。我刚完成某次海外旅行，正计划去日本开始一趟新的探险之旅。两个小时里，他一直追着我问同一个问题：怎么可能用如此少的时间来保证收入水平？

"如果你对此感兴趣，我们可以把你作为一个研究案例，教你如何去做。"我主动说。

查尼加入了。他应有尽有，只是没有时间。

一封电子邮件和 5 周的实践之后，查尼带来了好消息：他在上一周里完成的事情比之前 4 周之和都要多。而且周一和周五他都放了自己的假，每天还至少减少了两个小时的工作和家人待在一起。也就是说，他由过去一周工作 40 小时，变为现在一周只工作 18 小时，但他创造的成效却是过去的 4 倍。

这是激流勇退和练习中国功夫的结果吗？不是。是应用了最新日本管理秘诀或者更好的软件吗？不是。我只要求他坚持做一件简单的事情。

在固定的时间每天至少三次问自己以下的问题：

我现在有成效吗，还是只是很忙碌而已？

查尼领悟了要点，换了个更具体的问题：

我不停地找事来做，是不是错过了重要的事情？

他去除了所有填满时间的事情，专注于求证结果，而不再专注于展示奉献的过程。奉献的过程通常是经过伪装的毫无意义的工作。毫不留情，去除所有多余的。

你也可以吃上自己的蛋糕。

问题与行动

压力是我们自己造成的，因为我们感觉不得不这样做。不得不做。我再也没有那样的感觉了。

　　　　　——奥普拉·温弗瑞（Oprah Winfrey，1954—，演员，美国脱口秀主持人，

　　　　　　　　　　因"奥普拉·温弗瑞脱口秀"节目被誉为"脱口秀女王"）

要有更多的时间，就要少做一些事情，有两种办法可以做到这一点，但必须同时使用：1）列一张简要的"要做事务清单"（to-do list）。2）列一张"不要做事务清单"（not-to-do list）。

下面是一些帮助我们开始行动的假设情境：

1. **如果你有心脏病，每天只能工作 2 小时，你会做什么？**

不是 5 小时，不是 4 小时，也不是 3 小时——只有 2 小时。这不是我给你画的终点，而是你的起点。另外，我已经听到你脑子里的嘀咕了：真是太好笑了。根本不可能！我知道，我知道。如果我告诉你，你让自己不停运转、每晚只睡 4 小时，只能活几个月的时间了，你会相信我吗？也许不会。尽管如此，仍有上百万的新生儿母亲一直在这样做。这个训练是必须的。医生警告过你，3 个心脏搭桥手术之后，如果在术后头 3 个月你不把工作量缩减到每天 2 小时，你就会死去。你会如何做呢？

2. **如果你第二次心脏病发，只能一周工作 2 小时，你会做什么？**

3. **如果有一把枪指着你，要求你停止 4/5 的耗时工作，你会去掉哪一些工作？**

要达到简洁就要做到不留情。如果你不得不停止 4/5 的耗时工作——电子邮件、电话、谈话、文件、会议、广告、客户、供货商、产品、服务

等等——去掉哪些才可能保证收入影响最小化？可以每个月试一次，这种尝试既能保证你的健康，又能保持一切正常运营。

4. 我最经常做哪 3 件事情来填充时间而让自己挺有成就感？

这些事情通常被用来推迟其他更重要的行动（一般是一些令人不舒服的行动，因为重要的行动可能会遭遇失败或者被拒绝）。老实说，我们每个人都做过这种事情，想一想你常用哪些磨蹭性的事情来搪塞自己呢？

5. 学会问："如果这件事是我今天惟一完成的事情，我会对今天满意吗？"

在没好好想清楚主次轻重之前，不要坐在办公室里或者坐在你的电脑前。否则你的一天就可能在阅读无聊的电子邮件和脑筋一片混乱中度过。今晚之前就列好明天要做的事情。我不推荐使用 Outlook 或者用电脑来列"要做事务清单"，因为这样会使清单得以无限制地增加。我用一张标准大小的纸折三次成 2 英寸× 3.5 英寸大小见方，正好可以放进衣服口袋，限制自己只专注于几件事情。

每天要完成的重要事情永远不能超过两件。永远不要。即使所有事情都非常重要，也没这个必要。如果陷身于一大堆看上去都很重要的事情里面——我们大多数人都会遇到这种情况，试着认真地考虑一下每一件事情，然后问自己："如果这是我今天惟一完成的事情，我会对今天满意吗？"

为了避开那些表面上紧急的事情，你可以问问自己："如果我不做这件事，会有什么后果？它值得我推迟重要事情来做它吗？"如果到目前为止，你今天甚至还没有完成一件重要的事情，就请不要为了避免 5 美元的延期罚款而用最后一小时的工作时间去还一张 DVD 碟片。请先把重要的事情做完，再去付 5 美元的罚款。

6. 在电脑屏幕上做一个 Post-it 便条或者在 Outlook 里做个备忘录，一天至
   少提醒自己三次："我是不是在用各种各样的杂事来避开最重要的事情？"

7. **不要同时做几件事情。**
   我要重申一遍你早已知道的事实。一边刷牙一边打电话一边回电子邮
   件，是不可能的。一边吃东西一边上网查资料一边发短消息，也是不可
   能的。
   如果你合理地安排了主次轻重，根本没必要同时做好几件事。这是"任
   务蔓延"（task-creep）综合症的体现——做很多事让自己有成就感，其实
   成功完成的很少。重复一遍：每天最多安排两件重要的目标或者任务。
   每一件事都从头到尾无干扰地单独完成。分心只会带来更多的中断和失
   误、更少的净利润和更低的满意度。

8. **在宏观和微观层面应用帕金森法则。**
   应用帕金森法则在更少的时间内完成更多的工作。精简计划，缩短时
   限，才能做到专注行动和防止拖延。
   从每周和每天的宏观层面上，可以尝试在每周一和（或）周五放假，每
   天下午 4 点前停止工作。这将有助于你分轻主次轻重，也可能有助于你
   开展社交活动。如果你面对的是一个非常严格的老板，我们会在后面的
   章节里讨论应对他的具体细节。
   从微观层面上，要尽可能精简"要做事务清单"，并尽可能缩短时限来
   提高行动的速度。

挑战训练

学会建议（2天）

不再向别人寻求解决办法，开始自己提出解决方案。从小事情做起。如果别人问你："我们去哪儿吃饭？""我们看哪场电影？""我们晚上做什么？"或者任何类似的问题，不要再回答："嗯，你想……？"提出一个解决方案。不要再来回拉锯，做一个决定。在个人场合和工作场合都尝试一下。下面是一些参考句型（我最喜欢第一句和最后一句）：

"我能给个建议吗？"

"我建议……"

"我想提议……"

"我建议……你认为呢？"

"我们去做……如果不行我们再做别的。"

⑥

低信息食谱

培养选择性忽视的能力

信息的消耗能力显而易见：信息消耗了接收者的注意力。因此，大量的信息造成了有限注意力的分散，也产生了在过多信息源中合理有效地分配有限注意力的需要。

——赫伯特·西蒙（Herbert Simon，1916—2001，

诺贝尔经济学奖获得者[7]和 A. M. 图林奖

［计算机界的诺贝尔奖］获得者）

一定年龄以后，阅读很容易使头脑由主动创新状态变为被动接收状态。任何一个阅读太多而动脑太少的人都会养成懒于思考的习惯。

——阿尔伯特·爱因斯坦（Albert Einstein，1879—1955，

德裔美国物理学家，诺贝尔奖获得者）

我希望你好好坐下来。拿掉嘴里的三明治不要被噎住了。把小孩子的耳朵捂上。我将告诉你一些事实，这些事实会有相当一部分人无法接受。

---

7. 1978 年，西蒙因为他对于"经济组织内决策程序的开创性研究"获得诺贝尔奖。他认为：在任何给定的时刻，要想获得绝对全面的信息从而去作一个决定是不可能的。

我从来不看新闻，5 年里只在伦敦斯坦斯特德机场买过惟一的一份报纸，那也是为了买无糖百事可乐时打折。

我承认自己是个与世隔绝的阿米什人，但最后我发现，那里不卖百事可乐。

多恶心啊！这样也能号称见多识广、富有责任心的市民？不看新闻怎么了解最新时事？我会回答这一切问题，但是等等——事实比你们想像的要好些。我每周一会用差不多一个小时的时间查阅商务电子邮件，但我在国外的时候从来不查收语音邮件。从来不会。

但是，如果某人有紧急事件怎么办？这类事情还没有发生过。我的熟人们都知道我不会理睬那些紧急事件，所以紧急事件或者没有发生过或者发生了也不会来烦我。如果你把自己当作处理信息的瓶颈而把权力下放给其他人，问题就会自行解决或者消失。

培养选择性忽视的能力

聪明人往往有很多不想知道的东西。

——拉尔夫·沃尔多·爱默生（Ralph Waldo Emerson，
1803—1882，美国作家）

从现在开始，我希望你能培养出选择性忽视的离奇本领。视而不见的本领也许是天生的，但它也可以后天训练而成。一个人必须学会去忽视那些无关而琐碎的信息，去除那些无用的干扰。最重要的就是以下三个步骤。

第一步是养成和保持低信息食谱的习惯。就如同现代人吸收了过多的卡路里和没有营养价值的卡路里一样，信息工作者也从错误的来源吸收了信息数据。

　　输出——大量的输出是生活方式设计的基础。要增加输出，只有减少输入。大多数信息耗时、消极，与目标无关，也在你的能力之外。请留意你今天所读所看的东西，然后回答我，它们是否至少和以上四点中的两点相符。

　　我只在每天去午餐时扫一眼售报机的头版标题。过去的 5 年里，我没有因为这样的选择性忽视而遇到任何麻烦。而且，选择性忽视反而让你有了新的话题，你可以在谈话中问别人："告诉我，最近世界上有什么新鲜事发生吗？"如果事情真的那么重要，人们一定会谈论它，你也可以从别人口中了解整个事情。我以这种方式所了解到的世界大事，往往比那些专注于细枝末节而失去整个信息森林的人所了解的还要多。

　　从可行性角度来看，每个月我最多能读完三分之一本产业杂志（Response）和一本商业杂志（Inc.），总的阅读时间在 4 小时左右。这是以结果为导向的阅读。睡前我还会读一小时小说，放松一下自己。

　　我是如何做的呢？举例说明一下我和其他新贵都是如何看待和获取信息的。在上一次总统选举中，除了身在柏林那段时间，我参与了各项投票。我在几小时内就做出了决定。首先，我给美国的朋友们发电子邮件，他们都受过良好教育，价值观也和我一致，我问他们选了谁以及为什么。其次，我判断人的标准是行动，不是言语。于是我询问柏林的朋友们，他们的观点都不受美国媒体宣传攻势的影响，我问他们：如何根据候选人过去的行为判断他们的能力？最后，我看了总统候选人的电视辩论。我就做了这么多。我让这些值得信赖的人为我花几百个小时综合分析了几千页媒体的各类评论。就好像拥有了几十位个人信息助理，而我并不需要付给他们一分钱。

　　你会说，这只是一个简单的例子，如果你要做的事情你的朋友都没有做过呢？比如说，身为新人，如何将自己的第一部作品卖给世界上最大的出版商呢？这问就很有意思。我用了两种办法：

1. 从几十本参考图书中，我根据读者评论以及作者所取得的成效挑出一本。如果我只想知道如何去做，我就只阅读"我是如何做到的"那部分和作者的自传部分。像思考者和崇拜者那样花时间阅读全书是不值得的。

2. 通过阅读该书，我提出一些聪明而具体的问题，并通过电子邮件和电话联系了世界上最棒的 10 位作者和代理人，反馈率为 80%。

整个作品，我只阅读与我立即要做的事情相关的章节，只花了不到 2 个小时。写电子邮件和电话的草稿花了大约 4 小时。而真正发电子邮件和打电话只花了不到 1 小时。这种亲身联系的办法不仅比去全自助的信息餐厅更有效率和效益，同时也为我找到了将来图书销售的主要的同盟和导师。而我也重新认识了"交谈"这种被遗忘的技能的作用。它的确有用。

又一次，少即是多。

如何在 10 分钟之内将阅读速度提高 200%？

的确，你总要花一些时间去阅读。以下是 4 个简单的技巧——帮助你在 10 分钟之内将阅读速度提高 200%，同时不遗漏重要信息也不影响理解：

1. 两分钟：在快速阅读时，用一支笔或者一根手指在每一行下划过。阅读是一系列的间歇性移动（叫做"扫视"），视觉上的引导可以防止遗漏。

2. 三分钟：从每一行的第三个字开始看，到倒数第三个字为止。这就用上了眼睛的余光，而平时我们的余光浪费在边页的空白上。即使下一行的重点字词正好处在头三个和尾三个字的位置上，你也用眼光"阅读"了整个句子，而且只需要很少的眼球运动：

从前，一个信息狂决定去重新开**始**生活。

习惯后，可以再增加两边跳过的字数。

3. 两分钟：一旦习惯两边分别跳过三到四个字之后，尝试每一行只间歇性移动两次（也称"定置"），只看跳字后其余部分的第一个和最后一个字。

4. 三分钟：运用好的方法（以上三种方法），以对理解而言过快的速度阅读5页纸，然后再以舒适的速度阅读。这会提高你的理解力并且重新定位你的速度极限，就好像50英里的时速已经比较快了，但如果你是在高速公路上由每小时70英里的速度降下来的，就会感觉前者只是慢动作而已。

计算每分钟阅读字数——以取得进步——在所读的书里，将10行的字数相加后再除以10，得到平均每行字数。再乘以每页平均行数，得到每页平均字数。现在就简单了。如果你在1分钟内读完1.25页，每页平均字数为330个，你的每分钟阅读字数就是412.5个。如果训练之后你能每分钟读3.5页，即每分钟阅读1155个字，你就能进入世界上阅读速度最快的读者中的前一百位[8]。

---

8. 如果你想了解如何把阅读速度提高12719%，请登陆 www.pxmethod.com.

问题与行动

学会视而不见是获得内心平静的重要途径之一。

——罗伯特·索耶（Robert J. Sawyer，1960—，

加拿大最有影响的科幻作家）

1. **立即开始为期一周的传媒斋戒。**

当你把信息之门关上的时候，地球照样转动，更不用说终结。要认识到这一点，最好采用"邦迪"之法而且立即开始：一周的传媒斋戒。戒掉信息有时非常像戒掉冰淇淋。"我只想再上网看一分钟"就和"哦，我只是再吃一勺"一样寻常。必须快刀斩乱麻。

如果你此后仍想继续像吃高达 15000 卡路里的炸薯条似的汲取信息，当然可以，但是从明天开始至少坚持 5 天戒除任何传媒，下面是规则：

> 不接触任何报纸、杂志、音像制品、非音乐电台。任何时间听音乐都没问题。
> 不上任何新闻门户网站。
> 不看任何电视，除了每天晚上可以看一小时纯娱乐性节目。
> 不阅读任何作品，除了本书，除了睡觉前消遣性阅读一小时小说。[9]

在这一周里，最忌任何无意义的阅读。

空出来的时间做什么呢？早晨原来读报的时间用来和爱人交谈，和孩子们沟通，或者学习本书的方法。在朝九晚五的时间里把每天都当成最后

---

9. 作为一个 15 年来只读非虚构类作品的人，我可以告诉你两件事：同时阅读两本讲实话的书（该书也属于此类）是没有成效的；而虚构的小说比安眠药更有效，可以让你把一天的事情都抛到脑后。

一天去完成自己最重要的工作。如果做完之后还有时间剩余，你可以进行本书中的训练。推荐本书看上去有点虚伪，但其实不然：书中的这些信息不仅非常重要，而且立即就可以应用，现在就用，而不是明天或者后天。

每天午餐之后，而不是吃饭之前，给自己 5 分钟的补习时间。问一位消息灵通的同事或者饭店的服务生："今天世界上有什么重要的事情发生吗？我今天没看报纸。"一旦发觉答案并不能引起自己的兴趣就立即打住。事实上，大多数人根本记不住自己早晨花一两个小时听到或看到了些什么。

自己要严格要求自己。我可以为你开出处方，但你得自己去做。

2. **养成习惯问自己："有什么紧急或者重要的事情我一定会用到这个信息吗？"**
   信息仅仅对某事有用是不够的——信息必须是对紧急或重要的事情有用。若非如此，就不要汲取这种信息。如果在重要的事情上用不上，或者在有机会用它之前就已经把它忘却了的话，这样的信息是没有意义的。

   我过去常常为了某件事情提前几个星期或者几个月就开始阅读或上网查资料，结果发现时限将至时又要重读同样的材料。这真是又愚蠢又多余。按照你制定的"要做事务清单"去行动，根据具体需要汲取信息。

3. **练习不完成的技能。**
   这是另一个让我花了很长时间学会的技能。开始某件事情，并不意味着一定要去完成它。

   如果正在读的文章实在看不下去，就放下它，再也不要去重新拾起。如果你去看一部电影，发现比《黑客帝国III：矩阵革命》还要难看，请在更多的神经细胞死掉之前赶快走出电影院。如果吃了半盘排骨之后肚子就饱了，请马上放下可恶的叉子，也不要再叫甜点。

更多并不意味更好，停止一件事往往比完成一件事要好 10 倍。如果老板没有要求，而这件事情又枯燥又无聊，那么养成"不完成"的习惯吧。

挑战训练

索要电话号码（2 天）

每天至少向两位（你尝试的次数越多，压力就越小）魅力异性索要电话号码，索要时一定别忘了眼神交流。女士们，这意味着你也是这个游戏的参与者，现年 50 岁或者年纪更大都没关系。记住你的真正目的不是要到电话号码，而是克服主动问询的恐惧感，所以结果并不重要。如果你已经有了自己的伴侣，就请在得到电话号码后扔掉它们。

如果想训练效果显著，你可以去人多的购物中心——如果想更快克服这种不适感，我推荐去那里——并且在 5 分钟内连续问 3 个人。以下对话可以根据需要选用：

"不好意思。我知道这听上去令人不解，但是如果我现在不问你，接下去一整天我都会后悔不已的。我正赶着去见一位朋友（意即，我有不少朋友，并不是那种喜欢盯梢别人的怪人），但是我觉得你真的（非常，简直）很可爱（美丽，迷人）。我能要你的电话号码吗？我可不是什么神经病——我向你保证。如果你对我没有兴趣，给我一个假的电话号码也行。"

⑦

阻止干扰

拒绝的艺术

独立思考。做下棋的人，而不是棋子。

——拉尔夫·沙瑞尔（Ralph Charell，英国作家）

开会是一种令人上瘾并沉浸其中的活动，无论公司还是其他组织都习惯于开会，只是因为他们自己不能独立解决问题。

——戴夫·巴里（Dave Barry，1947—，美国作家，普利策奖获得者）

引子：2000年春，新泽西，普林斯顿

1:35 P.M.

"我想我明白。接下去。在下一段，它解释了……"我做了详细的笔记，不想错过任何一小点。

3:45 P.M.

"好吧。有点道理，不过如果我们来看下面一个例子……"我顿了顿。教学助理双手捂住了脸。

"Tim，我们今天就讲到这里吧。我一定会把你说的全记住的。"他已经听够了。我也讲够了，但是我知道我只需要这么做一次。

学校的 4 年里，我制定了一个策略。如果我在论文或者非选择题的考试中没有得到 A，我会带着 2~3 小时的问题去评分老师的办公室问个清楚，除非对方回答了所有的问题，或者由于疲劳而主动要求停止解答，否则我是不会离开办公室的。

这样做我达到了两个目的：

1. 我清楚地知道了评分老师是如何打分的，包括他或她的个人喜好和脾气。
2. 如果不给 A，评分老师就会好好考虑一下该给我的分数。如果没有特殊原因，他或者她再也不会无缘无故给我一个差分数，因为他们知道我一定会来敲门，并且问上 3 小时的问题。

学会在重要的时刻较真。无论在学校里还是在生活中，给人自信和果敢的印象将使自己得到公正而优惠的待遇，而不用每次都要为之乞求或者斗争。

再回想一下童年在操场上玩乐的日子。总会有一个恃强凌弱者和一堆数不清的受害者，但其中总会有那么一个孱弱的小不点，每次都奋力抗争，从不低头。他或者她也许不一定会赢，但是一两次费力的争斗之后，恃强凌弱者会选择不去惹他或她。因为找其他人来欺侮要容易得多。

做那个小不点。

只做重要的事情，忽略琐碎的小事并不容易做到，因为花花世界各种各样的事物会一齐扑向你。幸运的是，只要几个简单的生活小改变就能让长久的困扰变得轻松起来。

现在是停止信息滥用的时候了。

坏事，各有其坏

我们这里所说的干扰，是指重要任务从开始到结束的整个过程中任何起阻碍作用的事情。有三种主要的干扰源：

1. **浪费时间的事情**（time wasters）：这种事情完全可以被忽略不计，也不会有什么大的后果。常见的浪费时间的事情包括不重要的会议、讨论、电话、电子邮件。

2. **消耗时间的事情**（time consumers）：重复的任务或者要求完成的事情，但是经常影响更重要的事情。下面是几个你比较熟悉的例子：收发电子邮件、打电话、客户服务（订单服务、产品后续服务等）、财务或者销售报告、个人事务，都是不得不做的事情和重复动作。

3. **授权失败的事情**（empowerment failures）：需要获得他人许可才能完成一项任务的情况。下面是几个例子：解决客户问题（货物丢失、货物损失、产品故障等）、客户联系、所有类型的现金开支。

让我们逐个来看以上三种干扰源的解决办法。

浪费时间的事情：成为一个无知者

> 最好的防御就是进攻。
>
> ——丹·盖博（Dan Gable，1948—，史上最成功的摔跤教练，
>
> 奥运会金牌获得者，
>
> 个人纪录：299 胜 6 平 3 负，共摔倒对手 182 次）

浪费时间的事情是最容易精简和改变的。这是有关限制接收和把所有信息都集中到目前的行动上的问题。

首先，减少电子邮件的接收和发送。

1. 如果 Outlook 上设有来信语音提示或其他类似程序，请取消。把自动接收和回复功能也关闭，因为一旦有人给你发邮件，它就会立即提醒。

2. 每天两次查阅电子邮件，一次在中午 12：00 或午餐前，另一次在下午 4：00。因为只有在中午 12：00 和下午 4：00 查阅邮件，才能保证你收到此前你发出邮件的大多数回复。永远不要将早晨第一件事情定为查阅邮件。[10] 你可以在上午 11:00 前完成最重要的任务，以免你以午餐和阅读邮件为借口，拖延重要的事情。

在贯彻一天两次查阅电子邮件的原则之前，先在你的邮箱设置邮件自动回复，将你的改变告知老板、同事、供应商和客户，以保证改变行动的有效性。我建议你不要主动要求他们接受你的改变，还记得我们的十项要求之一吗：寻求宽恕，而不是寻求许可。

如果这样让你感到担忧，那么去和你的直接上司沟通，向他建议进行一到三天这样的尝试。举出那些因为频繁干扰造成工程未决或者失败的例子，尽可以把责任推到垃圾邮件或者办公室之外的什么人身上。

下面这封简单的电子邮件样稿可供选用：

> 您好，我的朋友（或者尊敬的同仁）：
>
> 　　因为繁重的工作任务，我现在只在每天中午 12:00（美国东部时间，或者你所在的时区）和下午 4:00 查阅电子邮件。
>
> 　　如果您急需帮助（请确认是紧急情况）不能等到 12:00 或者 4:00，请打电话 88888888 联系我。

---

10. 这个习惯可以改变你的一生。它看上去很小却有非常巨大的影响。

　　谢谢您给予谅解。我希望能就此提高效率，为您提供更好的服务。

您真诚的，

蒂莫西·费里斯

· · ·

　　尽快形成一天查阅一次电子邮件的习惯。真正出现紧急情况的时候非常少。人们对事情重要性的判断力常常很差，而且会夸大用来填充时间的琐事的重要性来获得成就感。邮件自动回复的设置，不但不会降低大家的共同效率，反而能够促使人们对打扰原因进行反省，并帮助他们减少无意义和耗时的联系。

　　和你刚读到建议时的反应一样，我刚开始也非常担心错过重要的需求并导致混乱。但是，什么也没有发生。尝试一次，如果过程中遇到一些小问题，尽力去克服它。

　　我设置了一个私人邮件自动回复，告知来信人我每周查阅一次电子邮件，并且没有引起任何抱怨。你可以发邮件到 timothy@brainquicken.com，了解详情。过去 3 年我不断修改这封自动回复信件。它非常灵验。

　　第二步，过滤来电，减少打出电话数量。

　　1. 如果可能的话，使用两个电话号码——一个办公室号码（非紧急情况用）和一个手机（紧急情况用）。也可以换成两个手机，或者非紧急情况电话号码可以换作互联网电话号码，那样可以使用电话在线语音信箱（比如 www.skype.com）。

　　使用自动回复电子邮件中留的手机号码时，一般情况下都要应答它的来电，除非对方是不明来电或者是你不想接的电话。如果不能确定来电，把电话转接到语音信箱，随后立即收听语音留言，决定事情是否重要。如果可以不接，就让来电者等着。来电者要学会等待。

　　办公室电话要设置在静音模式，而且可以随时转到语音信箱。语音信箱的录音应该听上去很亲切：

> 　　这里是蒂莫西·费里斯的办公桌电话。
>
> 　　我会在每天中午 12:00（美国东部时间，或者你所在的时区）和下午 4:00 两次查听和回复语音信箱。
>
> 　　如果您有急需处理的事务，不能等到中午 12:00 或者下午 4:00，请联系我的手机 88888888888。其他情况请留言，我会在查听后回复您。请务必留下您的电子邮件地址，便于我更快地回复您。
>
> 　　谢谢您的谅解。我希望能就此提高效率，为您提供更好的服务。
>
> 　　祝您今天开心。

　　2. 如果有人真的打了你的手机，那应该是出现紧急情况了，应该特殊对待。如果不是紧急情况的话，则不要让这样的电话耗费了你的时间。在电话问候语里你就可以作出判断。比较以下对话：

简（接电话者）：喂？

约翰（打电话者）：嗨，您是简吗？

简：我是简。

约翰：嗨，简，我是约翰。

简：哦，嗨约翰。您好吗？（或者）哦，嗨约翰。什么事？

　　约翰开始跑题，进入一段无聊的谈话，而到最终你才会发现这就是本次谈话的目的。有一个更好的方法：

> 简：我是简。
>
> 约翰：嗨，我是约翰。
>
> 简：嗨，约翰。我正在忙。能为您做什么吗？

之后的对话极有可能是：

> 约翰：哦，我待会再打来。
>
> 简：不，我还有几分钟时间。能为您做什么吗？

不要鼓励别人闲聊，也不要任由他们闲聊。让他们立即进入主题。如果他们继续东拉西扯或者不愿意待会再来电话，就直接插入对话，请他们说来电的重点。如果他们花了很长的篇幅描述一个问题，就直接打断他们："（他的名字），不好意思打断您，但是我 5 分钟后有一个电话要接。我能为您做什么吗？"或者也可以这样说："（他的名字），不好意思打断您，但是我 5 分钟后有一个电话要接。您可以给我发电子邮件吗？"

第三步，掌握拒绝的艺术和避免开会。

2001 年，我们新的销售副总监来 TrueSAN 公司的第一天，在公司全员大会上的发言只有以下几句："我不是来这里交朋友的。我受命来这里打造一个销售团队，销售我们的产品，这就是我想做的事情。谢谢。"如此简单。

接下来他履行了他的承诺。办公室里喜欢交际的人不喜欢他，因为他雷厉风行，言辞无多，但是每一位员工都尊重他的时间。他从不无故发火，但是他非常直爽，在他身边工作的人也非常专注。有一些人并不觉得他有领导气质，但大家都认为他做事非常有效率。

我还记得第一次与他在办公室里的单独会面。刚从 4 年严格学术训练的大学毕业出来，我滔滔不绝：未来计划的讲解、已实践的特别策略、至今为止的反响，等等。为了塑造良好的第一印象，我至少花了两个小时准备。他微笑着倾听了不到两分钟，就举起手来。我停住了。他善意地笑了，然后说："Tim，我不想听故事。直接告诉我我们要做什么。"

接下来的几周里，他让我意识到，如果我不专注或者专注于错误的事情，那对于如何让公司最大的两三位客户签署购买订单根本没有好处。从此以后，我们的会面从未超过 5 分钟。

从此刻开始，下决心让你身边的人学会专注，避免各种没有明确目标的会议，无论是亲自出席的会议还是远程会议。这些可以通过技巧来解决，不过要做好准备，一些喜欢浪费时间的人在最初几次遭拒之后会感觉不快。一旦大家清楚了你的原则是做好事情，而且这个原则不会改变，他们会接受这个原则继续生活。最艰难的时刻就过去了。不要做愚蠢的事情，否则你也会成为傻子。

你有义务让身边的人变得有效率。其他人都不会为你这么做。下面是一些建议：

1. 假设大多数情况都不是紧急情况，你可以要求人们按以下方式交流，先后次序为：电子邮件、电话、会面。如果有人建议会面，可以要求对方先发一封电子邮件，必要时可以再通一次电话。拒绝时可以用其他紧急事务作为借口。

2. 尽可能使用电子邮件回复语音信箱。这会让人们的描述更为简洁。帮助他们养成这样的习惯。

和电话的问候语一样，电子邮件的联系也应有一定的方式来防止无谓的来回纠缠。因此，一封"我们能下午 4 点会面吗？"的邮件可以换成"我们能在下午 4 点会面吗？如果可以……如果不可以，那么，请您给出三个方便的时间"。

你查阅电子邮件的次数越少，这种"如果……那么"的句型就越重要。因为我每周只查阅一次电子邮件，我发出去的邮件，可不希望7天后得到仅仅是对"如果"的回答或者其他信息。比如，如果我怀疑一个生产订单还没有到货，我会给我的货运经理发这样一封邮件："亲爱的苏珊……新的生产订单到货了吗？如果到了，请通知我……如果还没到，请联系约翰，电话号码88888888，或者电子邮件地址 john@doe.com（这封邮件也抄送给约翰），并请确认到货日期。约翰，如果货运方面有任何问题，请和苏珊直接协调，她的联系电话是66666666，她有权代表我做500美元额度的决定。如果有紧急情况，请打我的手机，不过我非常信任您二位的能力。谢谢。"这就避免了大多数随之而来的问题，避免了两次分别对话，而且把我拉出了解决问题的圈子。

养成习惯，在电子邮件中提出问题的同时给出"如果……那么"的建议。

3. 只有在问题得到确认后，才召开会议做决策，而不是开会确认问题。如果有人要求与你会面或者"约定某个时间打电话商谈"，就请对方给你发一封描述会面目的和议程的电子邮件：

> 听上去没问题。为了做好准备，您能否发一个有关会议议程的电子邮件，也就是我们需要解决的问题和主题？这将非常有用。先谢谢您了。

不要给对方留下商量的余地。在对方反驳之前"先谢谢您了"能增加收到回复的几率。

电子邮件有助于明确会议和电话所要达到的理想结果。大多数情况下，会议并没有必要，因为一旦确定了问题，你就可以通过电子邮件回答那些问题。让大家都养成这样的习惯。5年多里，我没召开过任何有关商业问题的会议，也没打过多少会议电话，而且电话处理过程都不超过30分钟。

4. 说 30 分钟。如果你确实不能阻止召开会议或者拨打电话，就请确定会议和电话结束的时间。让讨论简短，而不是没完没了。如果事情很清楚明确，决策时间就不应超过 30 分钟。在非整点的时间提醒他人你还有其他事情要做，这样比较令人可信（比如 3:20，而不是 3:30），然后让大家专注于问题本身，不要互相闲聊、诉苦或者跑题。如果你不得不参加一个既定的长时间而又没有结果的会议，请会议组织者允许你第一个发言，当你把 15~25 分钟的讲话结束之后，如果有必要，可以假装接到一个紧急电话，然后赶紧离开，事后再通过别人了解会议的其他内容。另一个选择就是非常坦率地表明，这次会议是多么的无意义。如果你选择这种方式，请做好被解雇的准备，另谋出路。

5. 工作小隔间是你的庇护所——不要允许其他人随意闯入。有人用一个明显的"请勿打扰"标记，但是我发现，除非你有一间自己的办公室，否则这种标记根本不会引起别人的注意。我的建议是：即使不听任何东西，也戴上耳机。如果还有人无视这种拒绝的姿态，走近来说话，就假装在听电话。我会把一根手指竖在嘴上，说："我在听您说话。"然后对着电话麦克风说："您能等一下吗？"接着，我转向来者说："嗨。我能为您做什么？"我不会让来者"稍后再来"，而是迫使对方给我一个 5 秒钟的简短叙述，有必要的话稍后再给我发一封电子邮件。

如果你不喜欢用耳机，可以采取接听手机反问来者的方式，也能达到相同的效果："嗨，X。我正在做事。能为您做什么吗？"如果 30 秒之内对方仍然不清楚你的用意，就要求对方发一封相关的电子邮件，不要提出给对方先发电子邮件："我很乐意效劳，但是我必须先把这件事情完成。您能尽快给我发一封邮件提醒我吗？"如果对方仍然不能会意，就给对方一个自己的时限："好吧，我两分钟后要接一个电话，到底是什么情况，我能为您做什么吗？"这种方式也同样适用于电话中的交谈。

6. 使用"宠物狗策略"（Puppy Dog Close），帮助老板和其他人养成不开会的习惯。销售行业的"宠物狗策略"命名是来自一种宠物店的销售模式：如果买主很喜欢某个小宠物，但还在为这次购买是否会改变自己的生活而犹豫不决，店主可以主动提出让买主把宠物带回家，并告诉买主如果他此后改变主意还可以把宠物送回店里。当然，送回来的情况很少发生。

当你遇到对方坚持不做永久改变的情况时，"宠物狗策略"非常有效。告诉对方"我们只试一次"，如果不行还可以恢复到过去的状态，这样可以让事情有所进展。

比较下面的对话：

> 我知道您很喜欢这个宠物。您会一直照顾它，直到 10 年后它死去。从此，您没有了无忧无虑的假期，还得戴上手套到处为它收拾粪便——您感觉如何？

> 和

> 我知道您很喜欢这个宠物。为什么不直接把它带回家，试试看会有什么感受？如果您改变主意，只要把它送回店里就行了。

> 现在想像自己正走向站在过道里的老板，拍拍他的肩膀。

> 我很愿意参加会议，但我有一个更好的主意。我们再也不要开会了，因为我们所做的只是浪费时间，得不到任何有用的结论。

和

　　我非常愿意去参加会议，但是我太忙了，确实有一些重要的事情要做。今天我能不能不参加？否则我会被会议弄得心烦意乱。我保证会后会找同事 X 了解会议的重要内容。行吗？

　　第二种可供选择的版本看上去并不是永久性的要求，这正是它的目的。经常试用这个方法，让自己比别人少参加一些会议，不断在开会时消失，然后举出自己提高的工作成效为证，慢慢地，将这个暂时改变转变成固定下来的习惯。

　　学会模仿乖巧的小孩："就这一次！求求您！！！我保证我会去做 X 事的！"家长们接受了这一套，因为孩子们帮助大人进行自我欺骗。同样，这一套也适用于老板、供应商、客户和全世界。

　　学会使用它，但不要上它的当。如果老板要求你加班："就这一次。"他或者她将来也一定会这么要求的。

消耗时间的事情：批处理，勿拖沓

计划可以防止混乱和冲动。

　　　　——安妮·狄勒德（Annie Dillard，1945—，美国作家，
　　　　　　　　　　　　　　　　　　　　普利策奖获得者）

如果你从未用过商业打印机，那么，它的价格和交货时间一定会让你感到惊讶。

假设印制 20 件定做的彩图 T 恤衫要花 310 美元和一个星期，那么印制 3

件同样的 T 恤衫要花多少钱和时间？

310 美元和一个星期。

这怎么可能？很简单——开版费用不变。彩图网版的材料费用相同（150 美元），手工压印的人力费用相同（100 美元）。开版是整个过程中真正费时的工作，无论印制数量是很少还是很多，都得一个星期的时间才能交货。另外，低规模生产的价格：生产 3 件 T 恤衫的成本是 20 美元一件，而不是生产 20 件 T 恤衫时 3 美元一件了。

要解决成本和时间的效率问题，就得有更大的订单，这种办法叫做"批处理"（batching）。批处理也可以用来解决我们不得不做但是非常耗时的事情，也就是那些反复打断我们最重要工作的事情。

假设一下：你每周五次查收并回复邮件，每次平均花上 30 分钟，一周共回复了 20 封信件，如果你每周一次查收并回复邮件，可能一次要花上 60 分钟，但是你仍然回复了 20 封邮件，跟此前费时两个半小时的工作量一样。一般来说，人们出于对紧急情况的担心，才每周五次去查收信件。但是我们要知道：首先，很少会遇到紧急情况；其次，如果收到紧急信件，即使错过最后期限，事情仍然是可以补救的，或者可以尽可能弥补，把损失降到最小。

所有的任务，无论大小，都会有一个时间限制。无论是对一百个人而言，还是对一个人而言，这个时限都是不变的。我们在心理上应设置一个调整的转换点，最多中断 45 分钟，就必须回到重要工作上来。要知道，我们每天朝九晚五的四分之一多（28%）的时间都被这样的中断[11]所消耗了。

所有反复循环的任务莫不如此。这也就是为什么我们决定每天只在特定的两个时间点（两个时间点之间是累积邮件和电话的时间段）查阅电子邮件和电话留言。

11.《不专注的代价：干扰如何影响脑力工作者的成效》（*The Cost of Not Paying Attention：How Interruptions Impact Knowledge Worker Productivity*），乔纳森·B·斯比拉（Jonathan B. Spira）和乔什华·B·芬恩塔其（Joshua B. Feintuch），Basex 出版，2005 年。

过去 3 年，我每周查阅邮件从来没有超过一次以上，甚至经常一连 4 周不去查阅。没有事情是不可补救的，也没有什么损失超过 300 美元。这样的批处理为我节省下几百小时重复劳动的时间。你的时间价值多少？

我们来看一个假设的例子：

1. 你的报酬或价值是每小时 20 美元。例如：你的年收入为 4 万美元，每年有两周的假期：

年薪 4 万美元÷（每周 40 小时× 每年 50 周＝2000 小时）＝每小时 20 美元

2. 估算一下通过分类批处理同样的任务而节省下来的时间（以小时计算），然后把这个小时数乘以你每小时的平均收入（这里以 20 美元计），计算一下你可以赚多少钱：

　　　　每周：20 美元× 10 小时 =200 美元

　　　　每两周：20 美元× 20 小时 =400 美元

　　　　每月：20 美元× 40 小时 =800 美元

3. 测试一下以上批处理的频率，确定每个时间段内弥补问题的成本是多少。如果成本比上面的美元数目低，就可以把批处理的时间频率再降低一些。

举例说明，采用以上提到的计算方法，如果我每周查阅一次电子邮件，结果导致每周平均损失两笔销售业务，总共 80 美元的利润损失，那么我会继续每周只查阅一次邮件的习惯，因为 200 美元（10 小时的时间）减掉 80 美元的损失之后，仍然还有 120 美元的净利润，更不要说我在省下的 10 小时里做其他重要事情所带来的巨大利益。如果把完成一件重要事情（比如锁定一个大客户或者完成一次改变人生的旅行）所带来的财务和情感的获益都计算在内，那么批处理的价值要比每小时节省的价值大得多。

如果批处理引发很多问题，弥补所需的成本比节省时间带来的收益要大，就可以将批处理的频率提高。以此为例，我不再每周查阅一次邮件，而是改成每周查阅两次（不是每天两次），并想办法改进我的工作体系，便于早日回到一周查阅一次的频率。能通过更巧妙的办法解决工作问题时，就不要通过更努力工作的方法而去解决问题。因为我很少看到真正的问题出现，所以我不断地把批处理公私事务的频率降低。目前我的一些批处理事务如下：电子邮件（每周一上午 10:00），电话（完全不用），洗衣服（每隔一周的周日晚上 10:00），信用卡和账单（大多数是自动还款，但是每隔一周的周一上午在查阅电子邮件之后我会查阅一下余额），力量训练（每隔 4 天做 30 分钟）等等。

授权失败的事情：规则和调整

目的就是授权给员工，把所有相关信息给他们，让他们比过去做得更多。

——比尔·盖茨（Bill Gates, 1955—，
美国微软公司的合伙创始人，世界首富）

所谓授权失败的事情指的是由于没有获得事先的准许或信息而无法完成某项任务。通常在被宏观管理或者进行宏观管理时出现这种情况，两者都会消耗你的时间。

对员工而言，目标是拥有充分接触所需信息的机会，以及能尽可能独立做决策的权力。对企业老板而言，目标是尽可能地把信息和独立决策权下放给员工或者责任人。

客户服务中的问题是授权失败的典型。我在 BrainQUICKEN 公司的个人案例可以说明问题是多么严重但又多么容易解决。

2002 年，我把订单跟踪及回复的客户服务外包，自己仍处理与产品相关的其他问题。结果呢？我每天收到 200 多封电子邮件，从上午 9:00 到下午 5:00 一直在回复它们，而且，每周收到电子邮件的数量以 10% 以上的速度在增加！因为外包客户服务导致额外的客户服务的产生，我不得不取消广告和限制货运的

数量。这是一个不可测量的模式。记住这个词，它很重要。它不可测量是因为有一个信息和决策的瓶颈：我。

关键在哪儿？每天我的信箱里大部分信件根本和产品无关，只是外包的客户服务代表各种行动的许可请示：

客户声称没有收到货物。我们怎么办？

客户被海关扣了一个瓶子。我们能重新发货到美国的地址吗？

客户要求尽快收到产品，以参加两天后的一个比赛。我们能连夜发货吗？如果可以的话，我们要收费多少？

无休止的请示。成千上万种不同状况，我没有时间也没有精力一一回复。

幸运的是，有人有这方面的经验：让外包客服代表自己解决问题。我只给所有的客户主管发了一封电子邮件，很快，邮件由每天的 200 封变成每周 20 封不到。

嗨，大家好：

由于个人原因，我需要重新设定一个新的原则。

让客户开心。如果问题可能造成的损失不到 100 美元，请各位自行判断并解决。

这是正式书面许可，要求各位在处理所有损失在 100 美元以下的问题时不要联系我，自行处理即可。我不再是你们的客户；我的客户就是你们的客户。不要向我寻求许可。你们认为正确的就去做吧，我们边做边调整方式。

谢谢。

Tim

经过仔细分析，可以很清楚地看到，电子邮件中请示的事情超过90%都能以20美元不到的成本解决。作出改变后的最初4周内，我连续4周每周审查他们独立决策的财务结果，后来是每月审一次，再后来就是一个季度审一次。

令人惊讶的是，一旦你把责任交给对方并表示出你对对方的充分信任时，对方的智商似乎也立即翻倍了。第一个月的成本比我自己宏观管理时要多出大约200美元。但是同时，我每月为自己节省出100多小时的私人时间，客户也享有更快捷的服务，返货率也降至3%不到（本行业平均为10%～15%），外包客服代表为生意所花费的时间也减少了。所有这一切都带来更快的发展、更高的利润空间，各方面都更开心。

人们比你想像的更聪明。给他们一个机会展示自己。

如果你是一个被宏观管理的员工，去和老板坦陈己见，说明自己想提高成效的想法，并且希望更少地打扰他或者她。"我非常不愿意如此经常地打扰您，把您从手中正在忙的重要事情中拖出来。我最近读了一些书，对于如何提高自己的效率有了一点心得。您有时间谈谈吗？"

在这次谈话之前，养成一些像前面例子中提到的能够让你减少寻求许可次数从而更独立工作的"习惯"。刚开始的时候，老板可以每天或者每周审查你自我决策的结果。建议老板尝试一个星期，谈话结束语可以是："我很想尝试一下，我们可以试一个星期吗"或者我个人最喜欢的"这个要求也还合理吧"。对任何人来说，将某事定义为不合理好像不太容易。

如果老板把过多的工作压给你，向他解释你感觉压力非常大，想分清那些工作的主次轻重从而更好地分配时间。如果所给的时间期限非常不合理，告诉老板你认为要同时高质量地完成所有任务非常困难或者不太可能。即使这些都不能改变老板的决定，至少你提前表示过担心和警告。

记住，老板是管理者，并不是奴隶主。为自己树立不断挑战现状的形象，大多数人都会学会避免与你争论，特别是在提高每小时工作成效方面。

如果你是宏观管理他人的老板，要明白，即使你比世界上其他人做得更好，也并不意味所有细节琐事你都要参与。授权给其他人去做，而不用打断自己。

以上所述的关键是，你只拥有争来的权力。

设定于己有利的规则：限制其他人对你时间的侵扰，在花时间和对方交流之前促使对方先搞清楚他们的请求，把那些不得不做的小事批处理化从而防止它们成为拖延更重要工作的借口。不要让别人干扰自己。找到自己的重点也就找到了自己的生活方式。

在下一章——**自控**中，我们会看到：新贵如何创造缺席管理下的收入，又如何消除最大的障碍——他们自己。

问题与行动

> 人们以为做超级天才一定很有趣，但他们不知道要容忍全世界的白痴是多么困难。
>
> ——小男孩凯文（Calvin），出自美国经典漫画
> 《**凯文和幻虎世界**》（*Calvin & Hobbes*）

学会认识干扰并且与随意的干扰斗争。

如果你有一套可以遵循的规则、应对方法和程序，这就容易得多。你应该帮助自己和他人来防止那些不必要和不重要的事情去阻碍重要工作的从始至终的任一环节。

本章节和之前章节的不同之处在于，由于例子和模板的引入，必要的行动从头到尾都有完整的展示。所以这里的“问题与行动”不再是对本章节的重复，而是一个总结。俗话说“细节决定成败”，所以请务必重读本章节的各个具体事例。

让我们大致回顾一下：

1. **制订系统限制他人通过电子邮件和电话干扰自己，避开无意义的联系。**

现在就准备好自动回复和语音信箱的草稿，以及各种各样的借口和理由。改变"您好吗"的习惯，而使用"我能为您做什么"，具体化并且记住——不要讲故事。专注于眼前的行动，实行拒绝干扰的原则。

尽可能避免会议。

　　○使用电子邮件而不是面对面的会面来解决问题。

　　○请求免除（这一条可以通过"宠物狗策略"实行）。

如果一定要参加会议，记住以下几点：

　　○带着明确的目的去开会。

　　○确定会议结束的时间或者提前离会。

2. **批处理化以降低启动任务的成本，以节省更多的时间实现更重要的梦想。**

我可以通过批处理做哪些事情？即，什么任务（无论是洗衣服、买食品、寄邮件、付账单或者提交销售报告等）可以分配到一天、一周、一月、一季度或者一年的某个特定时间去做，从而避免因重复而浪费时间？

3. **建立或者争取独立自主的原则和方针，不时检查实施的结果。**

对于那些即使操作错误也不会导致致命后果的事情，消除操作过程中的决策瓶颈。如果你是员工，充分相信自己，在尝试的基础上要求更多的独立性。在发表一通让老板惊讶的即兴演讲之后，准备好实施的"规则"并且向老板提出条件。记住"宠物狗策略"——表示这只是一次性的尝试，万一不行还可以恢复到原样。

如果你是企业老板或者经理，给别人证明自己的机会。不可修复和损失惨重的后果发生的可能性很小，而时间却肯定有所节省。记住，所有获利只有在你使用时才是真正的"利"。为此，你需要时间。

挑战训练

学会说"不"（2 天）

在接下来的两天，做所有两岁大的乖孩子们做的事，对所有的要求说"不"。不要有所选择。拒绝做所有的事情并不会让你马上被解雇。要自私一些。和上次的训练一样，我们的目标并不在于结果——这里指精简那些浪费时间的事情——过程才是真正的目标：习惯说"不"。你可以拒绝别人的如下请求：

您有时间吗？

今天晚上／明天想看电影吗？

您能帮我做 X 事情吗？

"不"是你对所有要求的缺省回答。不要特意说谎。一个简单的回答，比如，"我真的不能——不好意思；我现在手头上的事情太多"，就是一个万能的回答。

第三步：A——自控

Step III：A is for Automation

史考特：她是您的了，先生。所有的系统都自控并且准备就绪。一个猩猩和两个手下可以把她抓住！

寇克舰长：谢谢您，史考特先生。我会让别人解决这件事情。

——《星际旅行》（*Star Trek*）

⑧

外包生活
去除冗余，尝试利用"地域差价 / 汇率差异"[12]

一个人能放弃的东西越多，他就越富有。

——亨利·大卫·梭罗（Henry David Thoreau，1817—1862，美国作家）

如果我来讲这个故事，你一定不会相信，所以我让 AJ·雅各布斯亲自来讲。这个故事为将来更难以置信的事情铺平了道路，而这些事情你都会亲身经历。

我的外包生活

由全球男性时尚旗舰刊物《时尚先生》杂志自由撰稿人 AJ·雅各布斯讲述的一个真实故事。

（圆点表示不同的叙述时间段）

那是一个月前，我正在阅读托马斯·弗里德曼的畅销书《世界是平的》。我挺喜欢弗里德曼，就是感觉他蓄的八字须有点让人莫名其妙。这本书主要谈论外

---

12. 地域差价 / 汇率差异（Geoarbitrage）：出于利益或生活方式的原因，充分利用全球价格差异和货币差异。

包的作用，外包不仅为美国带来了印度和中国的技术支持或汽车制造商，同时也带动了美国的法律界、银行业、财会业以及其他各行各业的变革。

我没有自己的公司，甚至连一张时髦的商务名片也没有。我只是一名作者和编辑，大多数时候只穿着平脚短裤在家工作，要说正式些的服装，那就是我印着企鹅图案的睡裤了。于是我又思索，为什么世界 500 强企业那么有趣诱人？为什么我就不能加入到新世纪最伟大的商业潮流之中？为什么我不能把自己那些简单的任务交给别人去做，甚至连自己的生活都外包呢？

第二天我就发电子邮件给 Brickwork——弗里德曼书中提及的公司之一。Brickwork 公司位于印度的班加罗尔市，提供"远程执行助理"服务，主要面向需要数据处理的金融公司和保健公司。我表示想雇用一名协助处理《时尚先生》杂志相关事务的助理，帮我做一些研究、格式化备忘录之类的工作。公司 CEO维凡克·库卡尼回复道："非常荣幸能与您这样有声望的人交流！"我已经开始喜欢上这家公司了。此前，我从未觉得自己有什么声望。在美国，我甚至不能赢得 Bennigan 饭店服务生的敬意。所以，得知我在印度还有点声望，我真的非常开心。

几天之后，我收到一封我的新任"远程执行助理"的电子邮件：

> 亲爱的雅各布斯先生：
> 　我的名字是哈尼·K·巴拉尼。我将协助处理您的编辑工
> 作和个人事务……我将尽全力满足您的每个要求，让您感到
> 非常满意。

非常满意。这太棒了。想当初我在办公室工作时，也有不少助理，但是从未有过任何非常满意的交流。事实上，如果有人曾用到"非常满意"这个词，通常会以找人力主管进行严肃交谈而结束。

····

我和朋友米沙一起吃晚饭。米沙在印度长大，创建了一家软件公司，并且因此富得流油。我把外包工程的事告诉他。"你应该打电话给印度 YMII 公司（Your Man in India），"他说。米沙解释说，这是一家专为身在海外工作但父母仍在新德里或者孟买生活的印度商人服务的公司。YMII 公司专门为这些商人提供海外门房似的服务——它可以为这些"被抛弃的父母们"买电影票、买手机或做其他各种杂事。

...

太好了。这可以让我的外包工程上一个新台阶。我可以很好、很清楚地分工：哈尼主管我的商务工作，YMII 则照顾我的私人生活——付账单、预定假期票务和网上购物。YMII 与我不谋而合，于是雅各布斯公司的支持团队如虎添翼。

...

哈尼为我完成了他的第一项工作：研究《时尚先生》选出的当今世上最性感的女性。我被指派写一篇关于这位最性感女性的文章，而我实在不想花那个力气去浏览所有关于她的充满疯狂气息的粉丝网站。当我打开哈尼的文件夹时，我有种感觉：美国完了。这里面有图表、有分章节的标题、有她的宠物目录、身材尺寸和最喜欢吃的食物（比如旗鱼），详尽且条理清晰。如果所有的班加罗尔人都像哈尼一样，那我要为美国即将毕业的大学生感到悲哀了。他们面对的是一支饥饿、优雅、熟练使用 Excel 的印度大军。

...

事实上，接下来几天里，我又把一大堆网上事务统统交给阿沙（来自 YMII 公司个人事务部门）：支付我的账单、从 drugstore.com 上买东西、帮我儿子找一只"咯吱我大眼毛毛"玩具。（实际上，商店里的"咯吱我大眼毛毛"玩具已经卖完了，于是阿沙买了一只"跳舞鸡大眼毛毛"———一个不错的主意。）我让她打电话给 Cingular 公司问询一下我的手机套餐服务。我只是猜测而已，但是我想她一定是从班加罗尔打电话到新泽西州，再转到班加罗尔的 Cingular 员工，不知怎的这点让我感到很开心。

这是我外包生活的第四天。早晨，当我刚开始敲击电脑键盘时，我的邮箱里已经满是海外助理发来的最新信件了。当自己睡觉时有人在为我工作，真是种奇怪的感觉。奇怪，但是非常棒。当我在枕边梦游时，我并没有浪费时间，因为有人帮我把事情做好了。

· · ·

哈尼真是我的保护神。看看这个：因为某种原因，科罗拉多州旅游委员会总是给我发电子邮件。（最近，他们还通知我参加一个有世界上最著名的哈里昆小丑演出的科罗拉多喷泉节的事儿。）我要求哈尼帮我礼貌地要求对方停止再发类似邮件给我。这是她写的信：

> 亲爱的先生／女士：
>
> 雅各布斯先生经常收到来自科罗拉多的新闻邮件，确实非常频繁。当然它们是非常有趣的话题。然而并不适合《时尚先生》。
>
> 另外，我们非常理解您花费了大量精力来编辑这些文章并把它们发送给我们。我们非常理解。不幸的是，这些文章和邮件的阅读太费时间了。
>
> 目前，这些邮件对您，对我们，都没有起到应有的作用。因此，我们请求您停止发送类似邮件。我们并没有贬低您的工作的意思。希望得到您的谅解。
>
> 谢谢。
>
> 哈尼·K·巴拉尼

· · ·

这是报刊史上最好的拒绝信了。措词非常客气，但又暗含一丝怒气。哈尼因为科罗拉多浪费了雅各布斯先生的时间都有些义愤了。

...

我决定要考验的下一项是：我的婚姻。和妻子朱丽之间的争吵让我头疼不已——部分原因是她比我善辩得多。也许阿沙可以做得更好：

> 你好，阿沙：
>
> 　　因为我忘了在自动取款机取现金，所以我妻子对我非常恼怒……我想你能不能转告她我爱她，不过同时小心地提醒她，她也比较善忘——上个月她丢了两次钱包，还忘了给贾斯帕买指甲剪。
>
> 　　　　　　　　　　　　　　　　　　　　　　AJ

发出那封邮件时我有说不出的兴奋。通过电子邮件横跨半个地球和妻子争吵，还要吵得如火如荼，真是非常不容易。第二天早上，阿沙把她发给朱丽的信转发给我过目。

> 朱丽：
>
> 　　我十分理解你因为我忘记在自动取款机取现而如此生气。我一直太健忘了，非常抱歉。
>
> 　　但是我想这并不能改变我深爱你的事实……
>
> 　　　　　　　　　　　　　　　　　　　　你的爱人 AJ
>
> 　　附：这封信是阿沙以雅各布斯先生的名义写的。

好像还没完，她还寄给朱丽一张电子卡片。我打开卡片：两只泰迪熊抱在一起，旁白文字是："任何时候你想拥抱，我就在这里……我错了。"

哦，混蛋！我的外包助理好得过头了！他们保留了道歉的部分，但是拔掉了我的刺。他们自以为在帮我。简直超越到我前头去了。我感到自己受到极大的侮辱。

朱丽，则看上去非常满意："你真好，甜心。我原谅你。"

···

尽管有自己的助阵团队已有 3 周，但是我仍然感觉压力很大。也许是跳舞鸡大眼毛毛的错，它让我儿子喜爱至极，却让我慢慢发疯。不管是什么原因，我感到是时候去征服另一个领域了：外包我的内心生活。

首先，我要托付我的治疗事宜。我计划给阿沙一张清单，列出我的神经官能症状和童年轶事一二。让她和我的神经科医生谈 50 分钟，然后把治疗建议转达给我。很聪明，是吧？我的神经科医生拒绝了。不知是医疗道德还是其他什么原因。好吧。于是我让阿沙寄给我一份经谨慎研究的减压备忘录。这份备忘录富有印度风味，其中包括一些瑜珈动作和意念。

这好像不错，但还不够。我决定要外包我的焦虑。过去几周，因为一桩生意谈了很久没谈拢，我一直焦躁不安。我问哈尼是否愿意为我分担焦虑。一天几分钟就好。她认为这是个非常好的主意。"我每天会为此焦虑的，"她写道，"不要着急。"

外包我的精神压力是那个月最成功的试验之一。每次我开始绞尽脑汁时，我就提醒自己：哈尼已经在为我想这事儿了，所以我要放轻松。不是开玩笑——仅仅这件事就让我觉得非常的值得。

匆匆一瞥：你会在哪里？

未来就在这里。但不是遍地都是。

——威廉·吉布森（William Gibson，1948—，美国科幻作家，《神经漫游者》[Neuromancer]的作者，书中第一次出现"赛博空间"[cyberspace，意即网络空间]一词，他本人被称为"赛博朋克[Cyberpunk]运动之父"）

下面是对整个自控过程的一次预览。

今天正好是星期一，早晨起床后享用了一份精致的布宜诺斯艾利斯早餐，之后花了一小时查阅电子邮件。

来自印度的索姆亚帮我找到一位失去联系很久的高中同班同学，YMII 公司的安那库为我整理好了关于退休者的幸福和不同领域年平均工作小时数的 Excel 研究报告。我的第三位同样来自印度的网上助理（virtual assistant）也已经帮我安排好这个星期的各种会面，并且为我找到日本最好的剑道学校和古巴顶尖萨尔萨舞教师的联系方式。在下一个邮件夹里，我很高兴地得知，我在田纳西州的执行会计经理贝丝一周内解决了 20 多个问题——尽力让我们来自中国和南非最大的客户们满意——她还协同我在密歇根州的会计师一起处理了加利福尼亚州的营业税归档事宜。税款已经通过我的信用卡支付并纳入记录，快速浏览一下我的银行存款账户就可以确认，沙恩和我的信用卡专业处理团队的其他人本月为我存入比上个月更多的现金。在自控世界里一切都是那么顺利。

这真是一个美丽而明媚的日子，我微笑着合上了手提电脑。一顿全自助的早餐，有咖啡也有橙汁，我付了 4 美元。每小时我要付给印度的外包助理 4～10 美元。而国内的外包助理的报酬，则按照他们的表现或产品发货来给付。这就带来一个奇怪的商业现象：负向现金流动不可能出现。

这时候有趣的事情发生了，你赚的是美元，用的是阿根廷比索，支付给助理的则是印度卢比。但这还只是个开始。

但是我只是个员工！这对我有什么用？

没有人能给你自由。也没有人能给你平等或者公正或者任何其他东西。如果你是一个真正的人，那就自己去获取。

——马尔科姆·艾克斯（Malcolm X，1925—1965，美国黑人运动领袖）

找一个远程个人助理是一个非常重要的起点，标志着你学会了如何做一个发号施令的指挥者而不是被指挥的人。相对于大多数重要的新贵技巧而言，远程管理和交流，只是一次小规模的训练。

是学习如何做老板的时候了。这并不花什么时间，而且低成本低风险。你目前是否"需要"人手并不重要。它只是一个练习。

远程管理和交流还可以测试你做企业家的潜质：你能管理（指挥和惩罚）别人吗？通过正确的指导和实践，我相信你可以做到。大多数企业家会失败，是因为还没有先学会游泳就一头跳进了深水池子。你可以把雇用网上助理作为一个没有任何坏处的简单练习，为时2~4周的基本管理测试的成本只在100~400美元之间。这是投资而不是开支，而且它的投资回报率会令你吃惊。最多10~14天，投资的成本就可以收回，之后就是节省时间所带来的纯利润了。

成为新贵并不只是更巧妙地工作，而是要建立一个可以替代自己的体系。

这是第一项练习。

即使你并不想成为企业家，这也是完成我们80/20法则和精简过程的最后步骤：做好让他人替代自己（即使永远也不需要）的准备，你就掌握了一套精准的取舍标准——帮你去除日程表中不必要的冗余部分。当你付酬让别人去做时，那些纠缠不休的琐碎事情就会立即消失。

但是费用如何呢？

对于大多数人来说，费用都是一个障碍。如果我能够比助理做得更好，为什么我还要付钱让他们做呢？我们的目的是为了腾出你的时间，让你专注于更重要和更美好的事。

本章就是帮你跨过这个生活方式障碍的一个低成本训练。你有必要认识到，自己动手成本更低。但是这并不意味着你愿意花时间自己做。如果你愿意花自己的时间——每小时价值20~25美元的时间，去做那些别人愿意以每小时10美元的价格就做的工作，就是对资源的巨大浪费。学着花钱雇别人为自己做事情很重要。很少有人这么做，这也正是很少有人能拥有自己的理想生活方式的另一个原因。

即使每小时的花费可能比你目前挣的还要多，这样的交易还是非常值得的。假定你一年挣 5 万美元，算下来每小时收入为 25 美元（假定每年 50 个星期，每周一到周五，上午 9 点到下午 5 点工作）。如果雇用一个一流的助理需付每小时 30 美元的报酬，那么他或者她可为你每周节省整整 8 小时，也就是一个工作日，你的成本（减去你的收入）就是 40 美元，而你得到了额外的一天时间。你愿意每周付 40 美元以换取每周只从周一工作到周四吗？我愿意，并且我就是这么做的。记住这已经是亏损情况下的结果了。

如果你的老板大发雷霆怎么办？

这多半还算不上一个问题，当然，防患于未然比事后补救更好。从情理上和法律上讲，你的老板都没有理由知道你是否选择了非敏感性的工作。第一个选择就是外包个人事项。时间就是时间，如果你把时间花在家务杂事和琐事上，还不如把它花在更好的地方。一个网上助理能改善你的生活，而管理方法也很容易掌握。第二个选择是，把那些不含财务信息或者公司信息的工作委托给别人去做。

准备建立一支助理大军吗？让我们首先看看委托（delegation）带来的不利。全面了解是为了避免滥用授权和无谓的行为。

委托风险：在开始之前

商业中，技术的第一个准则就是：有效运营的自控将扩大它的有效；第二个准则是：无效运营的自控将同样扩大它的无效。

——比尔·盖兹（Bill Gates, 1955—,
美国微软公司的合伙创始人，世界首富）

你曾经接受过不合理的任务指派、被委派干一些琐碎的工作或者被要求以最低效的方式做事情吗？没有乐趣也没有成果。

现在该轮到你来展示聪明才智了。委托的目的是为了进一步的缩减，而不是造成更多的运作和增加琐事。记住——只做清晰明确而且重要的事情。

委托之前首先要精简。

不要把还需精简的事情立即自控运作，也不要把本可以自控运作或者简单化的事情委托他人去做。否则，你由浪费自己的时间转为浪费别人的时间，也就等于浪费了你辛苦赚来的钱。如何才能变得更有效率和效益呢？现在你可是在花自己的钱。这就是我希望你适应的事情，开始的这一步就是一次小小的锻炼。

我提到过在委托之前先精简吧？

举个例子，主管们通常让助理阅读电子邮件。有时这确是可行的。但我的方法是，使用垃圾邮件过滤器、常见问题回答的自动回复设置，以及自动转发邮件给外包助理的设置，这样，我能把需要处理的电子邮件数量限制在每周10~20封。我每周只花30分钟的时间就可以处理掉，因为我有一套体系——精简和自控——所以我可以。

我已经把会议精简掉了，因此我不需要助理来安排会议或电话会议。如果某个月我需要处理一个20分钟的电话，我将通过两三句话的电子邮件，来解决所有问题。

第一原则是，先完善规则和程序，再考虑增加人手。适当的人力与完善的程序相结合将使成效倍增，用过多的人力来弥补不足的程序只会使问题也倍增。

菜单：充满各种可能的世界

> 我对那些自认为主宰我的人从桌边丢来的同情面包屑没兴趣。我希望拥有点
> 单的权利。
>
> 　　　　——图图主教（Bishop Desmond Tutu, 1931—，南非首位黑人主教，
> 　　　　　　　　　　　　　　　　　　　　　　　　诺贝尔和平奖获得者）

下一个问题接着就是："你应委托哪些事务？"这是个好问题，但是我不想去回答它。我想看《恶搞之家》（美国喜剧动画系列剧。——译注）。

说实话，写一本如何才能不用工作的书真是件苦差事。Brickwork 公司的瑞蒂卡和 YMII 公司的温基更适合来写这一章节，因此我只谈一谈以下两条指导方针，那些费神的细节工作留给他们。

黄金法则 1： 每一个被委托出去的任务必须是消耗时间的事情，同时已被精确定义。如果自己像没头的苍蝇一样忙得团团转并且委派网上助理为你做这些事情，并不会改善宇宙的秩序。

黄金法则 2： 更轻松一点，享受一些委托的乐趣。让在班加罗尔或者在上海的某人以你私人管家的身份给朋友们发电子邮件约定午餐聚会之类的事情，或者用陌生的号码以浓重的口音给老板打奇怪的骚扰电话。有效率并不意味着任何时候都得这么严肃认真。从被控制变成控制别人是很有趣的事情。稍稍把心头的包袱放下，以免演变成综合症。

变得个人化，过霍华德·休斯式的生活

霍华德·休斯，超级富有的电影制片人，《飞行者》（*The Aviator*）中的怪人，以爱让助理做一些奇怪的事情而闻名。你也可以做一个霍华德·休斯式的"怪人"[13]：

1. 在经历第一次坠机事故之后，休斯告诉一位朋友：自己的痊愈全是橙汁的功效。他固执地认为，橙汁暴露在空气中会降低疗效，因此他要求助理必须当着他的面将新鲜的橙子切片榨汁。

2. 当休斯在拉斯维加斯享受夜生活的时候，如果他的副手接近任何一个他喜欢的女孩子，那么副手都将受罚。如果一个姑娘接受休斯的邀请一同进餐，他的副手将拿出一份合同给她签字。

3. 休斯有个全天候服务的理发师，但是他一年只修理一次头发和指甲。

4. 据说在住旅馆的日子里，休斯让他的助理每天下午4点将一个奶酪三明治放在他小屋外一棵指定的树上，无论他是否住在那里。

真是个什么都可能的世界！就像福特T型车将交通便利带给大众一样，网上助理将亿万富翁的古怪言行展示给接触到的所有人，无论男人、女人还是小孩。这就是进步。

我也不多废话，让我把话筒交给别人。我们知道YMII公司处理私人和商业事务，而Brickwork公司只专注于商业项目。让我们从重要而枯

---

13. 唐纳德·巴特莱特（Donald Bartlett），《霍华德·休斯：他的生活和疯狂》（*Howard Hughes: His Life and Madness*）。

燥的事情开始，再很快从严肃转向轻松。考虑到真实性，我没有纠正那些非英语的表达方式。

温基：不要有所顾忌。有什么事情尽管向我们提出。我们曾为客户做过各种事情：安排聚会、组织宴会、研究暑期课程、清理会计账目、根据平面草稿造出 3D 立体模型。尽管提出您的要求。我们可以为您儿子的生日找到离家最近且受孩子们欢迎的饭店，做出预算并组织好这个生日联欢会。这能解放您的时间，让您去工作或者和儿子呆在一起。哪些是我们不能做的？我们做不了那些要我们亲自参加的事情。但是您一定会惊讶：在今天这个时代这种事情是多么容易做到。

下面是我们最常处理的事务：

→安排会面和会议→网络搜索→确认约会、任务完成情况→网上购物→写法律文件→无须专业设计师的网站维护（网页设计、张贴、上传文件）→监督、编辑在线讨论并张贴评论→在网页上发布职位招聘通知→写文件→校对编辑文件的拼写和格式→在线搜索更新的博客内容→为客户关系管理软件更新数据库→处理招募新人过程→更新发货单并且接收货款→语音信箱留言转成文稿

Brickwork 公司的瑞蒂卡补充了以下几条：

→市场研究→财务研究→商业计划→产业分析→市场评估报告→演讲准备→报告和时事通讯→法律研究→分析学→网站发展→搜索引擎优化→维护更新数据库→评估信用→管理采购过程

温基：我们有一个健忘的客户，一直需要我们不断地打电话提醒他各种各

样的事情。还有一个客户因为习惯问题每天早上要求我们打电话叫他起床。我们还做过跑腿的事情，在卡特里娜飓风过后寻找失去联系的人。甚至还有为客户找工作！至今为止我最自豪的事情是：我们的一个客户有一条非常喜爱的裤子，但已经不再生产了。他把裤子寄到班加罗尔（从伦敦），我们帮他仿制了一条完全相同的新裤子，价格也比原价少得多。

下面是其他一些 YMII 公司客户的要求：

○ 提醒一名冲动的客户支付目前的停车罚款，并且提醒他不要再因超速驾驶吃罚单。
○ 向客户的配偶道歉，送鲜花和卡片。
○ 制订饮食计划，定期提醒客户按照计划饮食，根据特定的饮食计划订购食品。
○ 为外出一年后回归的客户找工作。我们做好职务研究，完成求职信，修改简历，并且在 30 天之内为客户找到工作。
○ 修好瑞士日内瓦一座房子的窗玻璃。
○ 从老师的语音信箱收集家庭作业信息，并且发电子邮件给客户（孩子的家长）。
○ 研究如何为小孩子（客户的儿子）系鞋带。
○ 甚至在客户出发之前就为客户的车在目的地城市找到停车场。
○ 为家庭订购垃圾箱。
○ 找到特定时间、特定地方、特定时段的权威天气预报和报道，而且是 5 年前的。用来为诉讼案件做支持证据。
○ 替客户和他们的父母交谈。

基本的选择：新德里还是纽约？

成千上万个网上助理——怎样才能找到合适的那一个呢？本章结尾部分提供的资料将告诉你到哪里去寻找，不过除非你事先有一定的标准，否则你会感到眼花缭乱。

"到底在哪里？"这样的问题有助于你的寻找。

远程还是当地？

"美国制造"不再有往日的优势。跨越时区来到第三世界的货币世界具有双重意义：你睡觉时别人在为你工作；每小时的成本更少。换句话说：你节省了时间和成本。瑞蒂卡用下面的例子解释了前者：

> 纽约的一天快结束时，您可以在下班前把任务布置给印度的远程个人助理，而第二天一早，您就可以看到任务完成的回复。因为纽约和印度之间时差的缘故，远程助理们可以在您睡觉的时候工作，并在早晨把做好的事情回复给您。当您醒来的时候，就可以在邮箱里找到完整的总结报告。另外，这些助理们也可以帮您找到您想阅读的资料。

印度和中国的网上助理，还有其他发展中国家的助理，一般每小时收费4～15美元。低收费的助理工作主要是简单劳动性质，高收费的助理工作则包括类似拥有哈佛或者斯坦福的工商管理硕士和博士学历才能做的事情。你需要一个筹集资金的商业计划？Brickwork公司可以为你做，收费只在2500～5000美元之间，而不是15000～20000美元。不是只有小事情才可以求助于海外助理。据权威消息人士透露，世界五大会计咨询事务所的执行经理们也是按惯例向客户收取六位数的研究报告费用，然后把任务以四位数的报酬转手交给印度方面去做。

在美国或者加拿大，每小时的收入一般在 25～100 美元之间。一比较，选谁就很明显了，不是吗？100%的人会选择班加罗尔？不一定。最重要的衡量标准不是每小时的成本，而是每个任务的平均成本。

海外援助的最大障碍就是语言障碍，这经常导致双方来回讨论的次数翻两倍，也增加了最终成本。我第一次雇用一位印度网上助理时，就犯了一个常识性错误，我没有给三个简单的任务设定以小时为单位的时间上限。那一周的此后几天里，我在检查任务完成情况时，发现他居然用了 23 个小时才确认这些任务。他为下周安排了一个暂定会面，却约定了错误的时间！脑袋有问题。23 个小时？结果，我每小时支付 10 美元，总共付出了 230 美元。同样的任务，上周我委托给一个加拿大的以英语为母语的助理，他两个小时就完成了，按每小时 25 美元收费。50 美元就完成要花 4 倍多时间的成果。此后，我雇请了同一家公司的另一名印度助理，他做得和那个英语母语者几乎一样。

如何去选择？这就是最有趣的部分：你无须选择。你只不过测试几名助理，一方面提高了自己的交流能力，另一方面也可以判断哪一个值得雇用哪一个需要解雇。但是做一个只看结果的老板并不像看上去这么容易。

有几个要记住的教训。

首先，每小时的成本并不是决定成本的最终因素。要关注每项任务的成本。如果你需要花时间重申任务和管理助理，计算一下你为此付出的时间并且把它加到（使用上文中提到的每小时效率计算）任务的最终成本上。结果将令你吃惊。当然，宣称自己有三个国家的人为自己服务显得很酷而且有趣，但是花时间去培养这些本应该帮助你把生活变得更容易的人就不那么有趣了。

其次，只有在实践中才能得到验证。如果不先试一次，是不可能预测到你和助理之间的默契度的。当然，你可以做些什么来增加成功的几率，其中一件就是联系一个助理公司而不是只使用一个单独的助理。

单独助理 VS.支持团队

假设你找到了理想的助理。他或者她正为你处理所有不重要的任务，而你决定要踏上盼望已久的泰国之旅。你感到很开心，因为除了你自己之外还有人能为你处理工作并且解决问题。多么令人安慰的事情！可是，在曼谷飞普吉岛之前的两小时，你收到一封电子邮件：你的助理现在暂时不能提供服务，他或她将住院一个星期。不太妙。假期泡汤了。

我不太喜欢完全依赖一个人做事，而且我也不推荐这样。在这个高科技的世界，这种依赖性被称为"单一失败点"——所有的事情都命系一个脆弱点。在IT[14]世界里，"备份"（redundancy）这个词成为一个卖点，有备份的系统的任何部件发生故障或者机械失灵时，该系统仍能继续运作。就网上助理来说，有多余的人手意味着可以拥有后备支持。

因此，我建议你雇用一个网上助理公司或者有后备人手的网上助理团队，而不是只雇用单个的网上助理。当然，有不少人几十年雇用惟一一个助理而没有发生任何意外，但是我认为这只是例外，而不是规律。多点保险总比多点风险要好。除了能够规避灾难，团队的建构也提供了一组备选人才，你可以布置多个任务而不用再费力寻找另一名有资质的人来做。Brickwork公司和YMII公司都具有这种团队建构，并且提供单个联系点——一位个人事务经理，他能把你所有的任务转派给团队各部门最有能力的人去做。需要图解吗？没问题。需要数据库管理吗？没问题。我不喜欢给很多人打电话去做协调工作。我喜欢一站式购物，宁愿多支付10%享受这种服务。同样，我也鼓励你做到大事聪明，小事糊涂。

选择团队并不表示团队越大越好，只是多点人手总比一个人好。至今为止我雇用过的最好的网上助理是一名手下拥有5个后备助手的印度人。对你来说，3个人稍显多余，但是两个是必需的。

---

14. 信息技术（Information Technology）。

头号恐惧："亲爱的，你在中国买了保时捷吗?"

我想每个人都会有些担心。AJ 显然存在这种担心：

> 现在，我的外包助理知道太多关于我的事情——不仅是我的日程表，还有我的胆固醇量、我的性障碍、我的社保号码、我的各个密码(有一个密码是年轻人常用的粗语)。有时候，我会担心自己无法再赶走那些外包助理，或者最后收到一张在印度阿嫩德布尔城路易威登专卖店消费 12000 美元的万事达卡账单。

好消息是滥用财务和机密信息的情况很少发生。在我为写作本章所做的所有采访里，只遇到惟——次滥用信息的例子，于是我花了很长时间很大力气来调查。原来，一位工作负担过重的生活在美国的网上助理，在最后时刻雇用了其他的自由职业者来帮忙。

请记住——永远也不要雇用新手。禁止小公司的网上助理在没有你的书面许可的前提下把工作转包给未经验证的自由职业者。还有些口碑更好和更高端的公司，比如下面例子中的 Brickwork 公司，设有非常多的信息安全措施，在有违例现象发生时也能很快查找到当事人：

○ 员工都经过个人背景调查，并按公司维护客户机密信息的政策，签署不能泄密协议

○ 出入需要电子门卡

○ 客户信用卡信息只能由少数高层管理者输入

○ 禁止把文件带离办公室

○ 不同部门之间有基于虚拟局域网的限制；这就保证了在未经授权时团队中不同部门之间不能接触相关信息

○限制接触特定部门的信息

○定期检查打印机打印纪录

○禁止使用移动软盘和 USB 端口

○获得国际认可的安全标准 BS779 证书

○在 128 比特位加密技术的保障下进行所有的信息交换

○保证虚拟个人网络连接的安全

我认为，机密的信息放在 Brickwork 公司里，很可能比放在你的个人电脑上安全 100 倍。

但是，数字化的世界里信息被窃事件又是不可避免的，所以，仍需做好预防工作和风险控制。我用两种方法来降低损失并快速修复。

1. 永远不要用借记卡进行网上交易或者与远程助理进行交易。取消未经授权的信用卡交易，尤其是美国运通卡，这对你没什么坏处而且随时可以办理。再想通过未经授权的信用卡从自己的活期存款账户上取钱，可就麻烦多了，单是文件程序申请就要花几十个小时，而真正拿到这笔钱要几个月的时间，前提还得是申请获准。

2. 如果网上助理需要以你的名义登陆一些网站时，你应另外创建单独的新用户名和密码用于登陆这些网站。实际生活中，大多数人都与网上助理共同使用以前的用户名和密码登陆，若使用了前述预防手段就可以减少可能造成的损失。若需要登陆新的网站，可以让网上助理使用这些单独的注册信息来创建新账户。这一点，在雇请具有实时商业网站（开发商、规划商等）权限的网上助理时，尤为重要。

如果至今为止，你尚未遭遇信息或者个人机密的被窃，不代表将来也不会遭遇。使用上述方法，当事情真正发生的时候，你会发现，和大多数噩梦一样，其实事情并没那么糟糕，而且可以弥补。

复杂 VS.简单：常见抱怨

我的助理真是个白痴！预订一次会面居然花了 23 小时！当然这是我第一次抱怨。23 小时！我禁不住大光其火。我最初发给这第一个助理的电子邮件应该表述得相当清楚了。

亲爱的 Abdul：

以下是你的首次任务，必须在下周二之前完成。如有任何问题，请电话或发电子邮件给我。

1. 请到 http://www.msnbc.msn.com/id/12666060/site/newsweek/ 上查阅该文，找到卡罗尔·密莲根、马克·齐克里和朱丽·齐克里的联系方式（电话号码、电子邮件地址、网站）。同样，再到 http://www.msnbc.msn.com/id/12652789/site/newsweek/ 上查找罗伯·朗的相关信息。

2. 安排分别与卡罗尔、马克／朱丽、罗伯的 30 分钟的会面。去 www.myevents.com 网站（用户名：notreal，密码：donttryit）根据我下周的日程安排预约，时间在美国东部时间上午 9:00 到晚上 9:00 之间都可以。

3. 找到曾不顾老板反对进行远程工作协议尝试的在美国工作的人的姓名、电子邮件地址和电话号码（电话号码最不重要）。其中，有在美国之外旅行经历的人是最理想的对象。其他关键词还包括"遥控工作"（teleworking）和"远程办公"（telecommuting）。最重要的是他们曾与固执的老板商讨过这个问题。请把有他们信息的相关网站链接发给我，并附上一段文字说明他们为什么符合以上条件。

期待看到您的工作成果。如果您不理解或者有疑问请给我发电子邮件。

祝好。

Tim

事实是——我错了。这并不是发号施令的良好开端，甚至在我写这封电子邮件之前我就犯了致命的错误。如果你自己是一个有效率的人但还不习惯于发号施令，应该将开始阶段的大多数问题都归因于自己。人们很容易将问题归因于别人并立即发火，但大多数刚做老板的人自己会反复犯我犯过的错误。

1. 我接受了公司提供给我的第一个助理，而且一开始我没有提出任何特殊要求。

要求对方"精通"英语，并能使用电话沟通交流（即使并不需要）。如果不断出现交流的问题，立即要求换人。

2. 我给出了不精确的指示。

我让他去安排会面，但没有指出我是出于写作一篇文章的需要。基于之前对其他客户的工作经验，他就想当然地以为我想雇用一些人手。于是他把时间都用来编写电子数据表，以及去招聘网站筛选我并不需要的其他信息。

我表达的语句应该只存在一种理解的可能，而且应适用于小学二年级学生的阅读水平。即使对方以英语为母语也应作同样要求，并且应使要求更清楚明确。高级复杂的语言掩饰了它的不准确性。

注意，我要求对方如果有什么不理解的地方或者有疑问的时候随时联系我。这不对。在任务开始之前，应要求海外助理复述一遍任务以确认对方已经理解。

3. 我给了对方浪费时间的权限。

这又让我们提到损失风险控制。应该要求对方几小时后汇报任务进程，确认任务的正确理解和可执行性。有一些任务在最初的努力之后会发现是不可能完成的。

4. 我提前一周确定了最后时限。

应用帕金森法则，应该分派任务在 72 小时之内完成。我曾经有幸让任务在 48 小时和 24 小时内完成。这也是促使我们雇用小型团队（3 个或者更多人手）而不是单个助理的重要原因之一，否则那名助理会在多个客户的紧急要求之下不堪重负。较短时限的设定同样适用于更大的任务（如商业计划），只是，需要把任务分成几个阶段，分别在较短的时限内完成（概要、竞争研究综述、不同阶段计划等）。

5. 我给对方一次设定过多的任务而又没有明确主次顺序。

我建议，可能的话一次只发送一个任务要求，最多不要超过两个。如果你想让电脑死机或者崩溃，试试同时打开 20 个窗口和程序。如果你不分主次指派十几个任务给助理，助理也会崩溃。记住我们的原则：委托之前先精简。

一封好的助理任务委托电子邮件应该如何写？以下是我最近发给一名印度助理的电子邮件，而且对方的任务完成情况令人惊喜：

亲爱的索姆亚：

谢谢您。我想从以下任务开始。

任务：我想找到出版有自己著作的美国男性杂志编辑的名字和电子邮件地址。AJ·雅各布斯就是这样一个例子，他是《时尚先生》杂志的自由撰稿人。我已经有他的信息，需要更多像他一样的人的信息。

您能帮我做这件事情吗？如果不能，请给我您的建议。请给我回复并明确您计划如何来完成这个任务。

最后期限：因为我急需这些信息，所以，请在给我回复邮件之后立即开始工作，每三小时告知一次您的进展情况。如果可能的话现在就开始做吧。每三小时的汇报和最终结果请在美国东部时间周一晚上之前全部完成。

谢谢您的及时回复。

Tim

简短、礼貌而且重点突出。清晰的表达，清晰的安排，都源于清晰的思考。请思考清楚。

...

在下面几个章节里，你在网上助理部分的训练里所培养的交流技能将应用在更大更产生利润的领域：自控。接下来，你外包进行的程度将使委托任务像手指画画一样轻松。

在自控的世界里，不是所有的商业模式都是平等的。那么，你该如何打造一个企业，一根手指都不动就能把各部门都协调好呢？你该如何避开大多数的常见问题而使银行存款的现金自动运营呢？一切都始于对所有选项的理解、避免信息泛滥的艺术，以及我们通常所说的"缪斯"（muse）。

下一章是第一步的蓝图：产品。

问题与行动

1. 找一个助理——即使并不需要。

适应指挥别人而不是被别人指挥。从一次性的测试性项目或者不重要且重复性的工作（最好是日常工作）开始。

下列网站是非常有用的资源，均按地理位置分列。

美国和加拿大（每小时 20 美元以上）

http://assistu.com/client/client_how.shtml

http://www.yourvirtualresource.com/looking_for_a_va.htm

http://ivaa.org/RFP/index.php

http://www.canadianva.net/files/va-locator.html （加拿大）

www.onlinebusinessmanager.com

南美洲和全球（每小时 4 美元以上）

www.elance.com （搜索"网上助理"、"个人助理"或"执行助理"）。通过 Elance 在线中介的客户反馈评论，我找到了目前最好的网上助理，每小时收费 4 美元。

印度

www.b2kcorp.com （每小时 15 美元以上）。无论是《财富》10 强的石油公司、《财富》500 强的客户，还是五大会计师事务所或者美国议会的成员，Brickwork 公司都能为之服务。从收费即可看出该公司的业务范围十分正式——纯商业事务，非私人事务。

www.yourmaninindia.com （每小时 6.25 美元）。YMII 公司可以处理商业和私人两方面的事务，并且能提供实时服务（有专人全天候值班），或在你睡觉时完成任务。不同网上助理的英语水平和工作效率差异很大，所以，在委派重要任务之前，应先面试一下网上助理。

2. 从小事着手，但从大处着想。

蒂娜·佛西斯，网络在线运营经理（高层次的网上助理），曾帮助客户重新设计商业运营模式，从而使该客户由六位数收入变为七位数收入。她给出以下建议：

○看一下自己的"要做事务清单"——有什么事情拖了很久没有做？
○每次被迫中断或者更改工作任务时，问一下自己："网上助理能做吗？"
○审视一下痛苦之源——什么事情最让你感到沮丧和无聊？

下面是一些网上运营的小企业常见的"消耗时间的事"：

○上传文章提高网站点击率，建立邮件发送清单。
○加入并调整网上论坛和信息公告栏。
○管理附加项目。
○收集简讯内容，出版简讯和张贴博客。
○为新的市场策略进行调查和研究，为目前市场行动分析结果。

不要期待一个网上助理能带来奇迹，也不要对他期望过低。稍微放松一点控制。不要去做那些最终非但没有节省时间反而耗费时间的无用功。为知晓一张机票的报价花10～15分钟给印度发电子邮件是毫无意义的，你不如只花10分钟上网查询，还可省下双方来回确认的时间。

把自己的舒适范围再拓宽些——这也是本次训练的全部意义。如果发现网上助理没有能力完成自己委托的任务，完全可以收回来自己去完成，所以尽可能地测试助理们的能力极限。

3. 确定五项最耗时的非工作任务和五项纯粹因为个人兴趣而委托的个人事务。

挑战训练

使用"批评三明治"（每周 2 天）

很有可能有人——合作者、老板、客户或其他人——做了一些令你不快或不满意的事情。不要因为害怕出现争执而对这种事情避而不谈，而要使用糖衣炮弹来要求对方改正。连续两天，每天一次，使用我说的"批评三明治"（Criticism Sandwich）来应对别人，此后 3 周的每周四（周一到周三工作太紧张，周五则太放松）应用一次。请在日历上标注出来。称之为"批评三明治"，是因为我们需要先就某事夸奖对方，然后表达批评意见，再通过转移话题以夸奖方式结束之前敏感的话题。下面假设你和上司或者老板对话，重点词句为楷体字。

你：嗨，玛拉。您有时间吗？

玛拉：当然。什么事情？

你："首先，我想谢谢您帮助我处理了 Meelie Worm 账户的事情（或者任何其他事情）。我非常感谢您能教我如何处理这样的事情。您真是非常擅长处理技术问题。

玛拉：小事而已。

你：有件事情（the thing）[15]。每个人都有很多工作要做，我有点感觉[16]吃不消。一般来说，事情的主次轻重总是很清楚的，[17]但是最近我发现自己已经分不清这张单子上任务的主次和轻重了。这么一堆要处理的事情，您能帮我指出哪个是最重要的吗？我肯定这只是我的问题，[18] 如果您能帮我，就太好了，我将不胜感激。

玛拉：嗯……我来看看自己能做什么。

你：这对我太重要了。谢谢。差点忘了，[19] 您上周的演示真的非常棒。

玛拉：您真的这么认为吗？……（开始念叨了）

---

15. 尽量避免使用"问题"（a problem）这样的词。
16. 没有人会和你的个人感觉争论，从而避免了关于客观环境的争论。
17. 注意，我未将"您"作为主语，从而避免了直指之嫌，即使句中仍有暗示。"一般说来，您完全能分清主次轻重"听上去就像反手一击。亲密的朋友之间，可以省去这些形式，但是永远也不要用"您总是做 X 事情"，那样很容易引起争吵。
18. 既已表明观点，就可以把话题稍微放轻松一点。
19. "差点忘了"用来作为结束语的赞扬非常合适，同时又可以毫不尴尬地转移之前的敏感话题。

⑨

收入自控 I

寻找缪斯

事情定好就不要放在心上了！

——罗恩·波拜尔（Ron Popeil，1935—，美国发明家，
RONCO 公司的创始人，通过销售烤鸡电转烤架收入 10 亿美元以上）

方法可以有上百万种，原则却很少。清楚原则的人能成功地选择自己的方法。不顾原则一味尝试方法的人，一定会遇上麻烦。

——拉尔夫·沃尔多·爱默生（Ralph Waldo Emerson，1803—1882，美国作家）

新生起步

个美丽的夏日清晨，道格拉斯·普莱斯在布鲁克林的高级住所里醒来。首先：咖啡。他刚从克罗地亚海岛度假两周回来，时差问题还不大。这只是过去 12 个月里他去过的 6 个国家之一。日本是他下一个要去的国家。

手上拿着咖啡杯，脸上带着微笑，他悠闲地踱步到 Mac 手提电脑前，开始查阅电子邮件。总共有 32 封邮件，带来的都是好消息。

他的一个朋友和商业伙伴，也是 Limewire 公司的合作创始人，带来一个新消息：他们新创立的致力于更新 P2P 对等网络（peer-to-peer）技术的 Last Bamboo 公司，已经发展到最后的关键时期。它可能是一个能带来亿万巨额利润的新兴儿，但是道格拉斯选择先让工程师们自由发挥。

Samson Projects——波士顿最热门的现代艺术馆之一，对道格拉斯最近的工作非常满意，要求扩大新展品的合作，让他负责展览的声效。

信箱里最后一封信是一个道格拉斯迷写给"天才博士"的信，里面对他最新的街舞指导专辑 onliness VI.O.I.大加赞赏。道格拉斯发行了他命名为"开放音乐"的专辑——任何人都可以免费下载专辑，也可以在自己的作曲中引用专辑中的任一部分。

他又微笑起来，吃完他的烤黑面包片，开了一个窗口接着处理商业邮件。这将花更少的时间。事实上，一天只花不到 30 分钟，一周加起来也只要不到 2 小时的时间。

变化太大了。

两年前，也就是 2004 年 6 月的一天，我在道格拉斯的住所查阅电子邮件，我希望这会是很长时间里最后一次做这件事。几个小时后，我会马上赶去纽约肯尼迪机场，开始一次不太明确的全球探索计划。道格拉斯在一边看着，感到很好笑。他曾经也有过类似的计划，而且将自己最终从一家探险投资类的互联网新兴公司中解放出来，那家公司曾经上过报刊的头版，但他现在渴望的只是一份普通的工作。网络公司的狂热时代已经逝去，销售和挂牌上市的大好机会也随之消失。

他和我道别，在出租车开走的刹那他做了一个决定——抛开所有的复杂。是回到简单状态的时候了。

在 eBay 上试营业一周以后，Prosoundeffects.com 公司于 2005 年 1 月成立了，该公司的目标是：让道格拉斯用最少的时间投入，获得大量的现金收入。

我们再回到 2006 年道格拉斯的商务邮件收件箱。

有 10 份订单，有定制音效库的，有制片人、音乐家、电子游戏设计师和其他音频专业人士需要特殊音效 CD 的——无论是狐猴发出的咕噜声还是异域的乐器声。这些就是道格拉斯的产品，但是他并不拥有这些产品。因为那样需要实际的货存和提前支付的现金。他的商业模式更加高级。以下是其中一条收益流程。

1. 一名潜在客户在 Google 或者其他搜索引擎上看到了他的点击付款（Pay-Per-Click，缩写为 PPC）广告，就点击进入他的网站：www.prosoundeffiects.com.

2. 这名客户在 Yahoo 购物篮里订购了一份售价为 325 美元的产品（售价 29~7500 美元之间各类产品的平均价格），附有购货账单和货运信息的 PDF 文件就自动发送到道格拉斯的信箱。

3. 一周三次，道格拉斯只要在 Yahoo 的管理界面上按一个按键就可以从他所有客户的信用卡里收取费用并把现金转入自己的银行账户。然后他把那些 PDF 文件以 Excel 购买订单的形式保存下来，再将购买订单通过电子邮件发送给 CD 库的制造商们。厂家再把产品直接寄给道格拉斯的客户——这叫做直达货运（drop-shipping）——然后道格拉斯只需在货到 90 天之内支付产品零售价的 45% 给制造商（net-90 terms，货到 90 天付款）。

我们来看一下他的全效系统的数学奥妙。

他从每一笔 325 美元的订购中赚得其零售价的 55%，也就是 178.75 美元。如果我们扣除零售价的 1%（325 美元的 1% 就是 3.25 美元）作为 Yahoo 购物的交易费用，2.5% 作为信用卡支付程序的费用（325 美元的 2.5% 就是 8.13 美元），单这一笔交易，道格拉斯就能从中得到 167.38 美元的税前收入。

如果把它再乘以 10 份订单数，工作 30 分钟就能得到 1673.80 美元。每小时道格拉斯就能赚到 3347.60 美元，而且不需要预先购买产品。他的初始创业

成本是网页设计的 1200 美元，而这笔钱在第一周就收回来了。他的 PPC 广告成本大约每月 700 美元，他为 Yahoo 提供的平台和购物篮每月支付 99 美元。

他每周的工作时间少于 2 小时，每月收入却常常超过 10000 美元，而且没有任何财务风险。

现在道格拉斯把时间都花在令自己兴奋刺激的事情上：制作音乐、旅游和寻求探索新的商业贸易。Prosoundeffects.com 并不是他的最终目标，但是它消除了他所有的财务顾虑，并且解放了他的时间——可以让他更专注于其他事情。

如果无须考虑钱的问题，你会做什么？如果你遵循本章的建议，很快就要面对这个问题。

是时候寻找你的缪斯了。

要赚取一百万美元，可以有一百万零一种方法。无论是从事特许经营或者当自由咨询师，选择都是无限的。幸运的是，大多数都不适用于我们的目标。本章内容并不是针对那些想运营企业的人，而是针对那些想拥有企业又不将时间花在它上面的人。

当我介绍这个概念的时候，大家的反应差不多都是一样的：哦？

人们不敢相信，世界上大多数超级成功的公司并不生产自己的产品、不接听自己的电话、不发运自己的产品、不为自己的客户提供服务。上百家公司都假装自己是在为他人服务并且处理以上这些事务，其实把自己的硬件设施出租给知道怎么找到他们的其他人去运营。

你是不是以为微软公司生产了 Xbox 360，柯达设计和发布了它们的数码相机？错。实际上是 Flextronics 公司，一家总部设在新加坡并在全球 30 个国家设有分部的工程设计生产公司生产制造了以上两家公司的产品，该公司年收入达 153 亿美元。美国几家最畅销品牌的山地车全都出自中国的三四家工厂。数十家电话服务中心只需一个按键就可以回答杰西潘尼公司全球客户的所有电话，另一个按键则回答戴尔电脑全球用户的所有电话，当然还有另一个按键用来回答新贵们的电话，比如我的。

这一切是那么美丽透明而且并不昂贵。

然而，在建立这个系统之前，我们还需要一个可销售的产品。如果你拥有一家服务性公司，本章将帮助你把相关专业知识转化成可货运的耐用商品，以突破小时模式的限制。如果还在白手起家的话，请立即放弃服务性公司的模式，因为频繁的客户联系使缺席管理不太可能实现。[20]

进一步缩小范围，我们目标产品的试验成本不得超过 500 美元，同时需在 4 周之内实现自控运营，而且——进入正常运营阶段后——管理时间一周最多不得超过一天。

一家企业能像 The Body Shop 公司和 Patagonia 公司一样改变世界吗？能，但是那并不是我们的目标。

一家企业能通过挂牌上市或者销售获得现金吗？能，但是那也不是我们的目标。

我们的目标很简单：创造一个自动生成现金且不用耗费时间的工具。就是这样。我把这个工具称为"缪斯"[21]，尽可能地把它和定义模糊的"生意"区分开来，"生意"可以指一个杂货店，也可以指一家《财富》10 强石油集团——我们的目标更明确，也要求有一个更精准的称谓。

因此，首先是：现金流和时间。有了这两样流通的货币，其他所有事情都有可能。没有它们，什么事情都不可能。

---

20. 有一些特殊的例外情况，比如不需要内容生成的在线会员网站。但总的来说，产品需要的维护工作更少，而且可以帮你更快达到目标月收入额。

21. 缪斯能以非常惊人的速度为实现梦想提供时间和财务上的自由，让自己能够（一般都可以）开创其他的公司去改变世界或者销售自己的产品。

为什么一开始就要明确终点：
一个警示故事

莎拉非常兴奋。

她为高尔夫球手设计的特殊 T 恤已经上网销售两周了，平均每天能以 15 美元的价格卖出 5 件。她每件的成本只有 5 美元，所以，把货物发送到客户手上完成交易后，她每 24 小时就能赚 50 美元（还要减去 3% 的信用卡交易费）。她很快就能收回最初订做 300 件 T 恤的成本了——但是她想赚更多的利润。

与她此前的第一个产品的命运相比，这次真是非常的幸运。此前，她曾花 12000 美元为新妈妈们设计、生产了一种高科技的轻便婴儿车（她自己从来没做过妈妈），还为此申请了专利，结果却没有人对此感兴趣。

随后，这一批 T 恤衫仍在卖，但是销售速度开始减缓了。

当其他资金雄厚而凶悍的竞争者开始加大广告投入而抬高成本时，她好像遇到了一个在线销售量的瓶颈了。然后她灵感突现——零售！

莎拉去和当地高尔夫球商店的经理比尔商谈，对方很快表示对这些 T 恤感兴趣。她非常开心。

比尔按惯例要求给予销售价格的 40% 的最低折扣。这就意味着她的售价从过去的 15 美元降到现在的 9 美元，利润从过去的 10 美元降到 4 美元。莎拉决定不管怎样试一试，并且，她和周围城镇另外三家商店也谈好了相同的交易。货架上积压的 T 恤开始减少了，但是她很快意识到，不多的利润都被处理发货和增加管理的额外时间吞噬了。

她决定与一位经销商[22]进行商谈，以减轻这方面的工作，那家公司主要是一个货运仓库，负责从不同的制造商那里把产品销售到全国各地的高尔夫商店。

---

22. 经销商（distributors），即批发商（wholesalers）。

该销售商很感兴趣，他按惯例要求给予原零售价 70%的折扣，就是 4.5 美元——这样的话，每件 T 恤莎拉还要亏 50 美分。于是她拒绝了。

更糟糕的是，那四家当地商店为了和其他店竞争，开始将她的 T 恤打折销售，这样，他们自己的利润率也被挤掉了。两周以后，再也没有订单了。莎拉放弃了零售交易，沮丧地回到网站交易。由于新的竞争，网上销售量也降到几乎最低。她没有收回初始投资，车库里还剩了 50 件 T 恤。

情况不太好。

其实，这一切都可以通过正确的测试和计划避免。

"肌氨酸先生"爱德·伯德可不是莎拉。他并没有先投资然后等待最好的结果。

他有一家总部位于旧金山的 MRI 公司，生产的 NO₂ 产品 2002—2005 年一直占据美国运动营养品销售的首位。尽管仿效者众多，它仍然是最畅销的产品。正是聪明的产品测试、明智的市场定位和高明的销售手段才让他做到这一切。

在生产之前，MRI 公司首先在男性健康杂志上做了 1/4 页的广告，提供产品的低价订购。一旦收到大量的订单证实产品有很大的需求量，NO₂ 的定价就变成非常惊人的 79.95 美元，作为市场上的一流产品面世，而且只通过全球最大的营养食品连锁店健安喜医药专卖店出售。其他人均无权销售。

把生意做绝有什么好处？有几个有力的理由。

首先，相互竞争的转销商越多，你的产品就会越快消失。这是莎拉犯的一个错误。

整个过程是：转销商 A 以你建议的宣传价 50 美元出售产品，然后转销商 B 以 45 元的价格出售以和 A 竞争，然后转销商 C 以 40 美元的价格出售以和 A、B 竞争。很快，没有人能从该产品的销售中获利，也没有人会再下订单了。消费者现在已经习惯于更低的价格，而且这个过程是不可逆转的。这个产品的生命力就终止了，你不得不再次寻找一个新产品。这也是这么多公司月复一月不断制造新产品的原因。这是一个令人头疼的问题。

我也有惟一一个运动饮食产品，BrainQUIKEN（也以 BodyQUICK 为名销售）。产品销售了 6 年，而且持续盈利，因为我选择了一两家销量大而且能保证最低广告费用（minimum advertised pricing）[23] 的转销商，把批发销售尤其是网上批发销售限制在这两家最大的转销商手上。要不然 eBay 上那些疯狂打折的销售商和各种小商贩会把你逼得破产。

其次，向某人提供独家经销权，尽管大多数制造商都极力避免这样做，但是这将对你非常有利。当你给一家公司 100%的销售权利，你就很有可能在谈判中得到更好的利润率（留给产品零售价打折的余地就较少）、更好的存储供货市场、更快的支付方式和其他优惠待遇。

在生产产品之前先决定如何销售和配货非常关键。牵涉的中间人越多，为维持所有环节的盈利而付出的时间和金钱上的代价就越大。

爱德·伯德先生明白这一点，而他的例子也证明了，做和大多数人相反的事情能够降低风险、增加利润。在做产品之前决定销售途径只是其中的一个例子。

当爱德不旅行的时候，也不在只有少数精英助理和两只澳大利亚牧羊犬的办公室里办公的时候，他就开着兰博基尼跑车去加利福尼亚的海滩玩。这样的结果并不是偶然的。他的创造产品的方法——还有那些标准新贵们的方法——都能被效仿。

下文将告诉你如何以最少的步骤做到它。

---

23. 你不能控制自己产品的销售价格，但是你可以要求一定的广告费用。可以把最低广告费用协议引入合约总条款，当对方签订书面批发订购单时，这两个条款都会自动生效。在 www.fourhourworkweek.com 网站上可以找到 GTC 和订购单的样本。

第一步：找一个有能力尝试的合适市场

> 当我年轻的时候……我不想被定型……而现在你希望成为定型的演员。因为这就是你的特色。
>
> ——陈冲（Joan Chen，1961—，华裔女演员）

> 有些人就是喜欢沉浸于自娱自乐。
>
> ——丹尼·布莱克（Danny Black，Shortdwarf.com[24] 的合伙人之一）

创造需求很困难。满足需求则容易得多。不要创造出一个产品后再去寻找买主。而要先找到一个市场——明确你的消费者——再为他们寻找或者制造出一个产品。

我曾经是一名学生和运动员，所以我为这些市场制造产品，尽可能以男性消费者为目标。我制作的大学指导语音读物失败了，是因为我从来没有做过任何指导或者顾问。意识到我有接触学生的机会，接下来我开办了速读学习讲座，并且成功了，那是因为——当时我自己也是学生——我清楚他们的需求和消费习惯。成为你目标市场的一名对象，你就不用再费力寻思别人需要什么产品、愿意购买什么产品了。

从小事着手，但从大处着想。

丹尼·布莱克以每小时 149 美元的报酬雇用小矮人进行娱乐活动。这是一个怎样特殊的市场呢？

有人说，如果每个人都是你的消费者，就意味着没有人是你的消费者。如果你想将产品销售给爱狗人士或者爱车人士，请停止吧。针对如此巨大的市场做广告，费用将十分高昂，而且，你还要面临众多产品和免费信息的竞争。如

---

24. 见《华尔街日报》（*The Wall Street Journal*），2005 年 7 月 18 日（http://www.technologyinvestor.com/login/2004/jul18-05.php）。

果你专注于如何驯养德国牧羊犬，或者古董福特车的修复类产品，市场和竞争都会变小，广告宣传的费用也会降低，高昂的价位也更容易被接受。

BrainQUICKEN 最初是针对学生设计的，但是结果证明市场太分散，不容易拓展。基于学生运动员的良好反响，我以 BodyQUICK 的品牌重新推出产品，并且尝试在杂志刊登专门针对武术运动员和举重运动员的广告。这些市场和庞大的学生市场不好比，但是也不算小了。媒体成本的低廉和缺少竞争使我很快以"神经加速器"[25]产品占领了目标市场。做大池塘里的一条不明身份的小鱼，远不如做小池塘里的大鱼能够盈利。至于如何确定鱼是否足够大，大到能达到自己的目标月收入额，可以在本书相应网站的"缪斯之路"部分查找到相关内容，我会给出如何确定最新产品的市场规模的更详细的实例。

问自己下面的问题，找到有利可图的合适市场。

1. **你目前属于、曾经属于哪一社会阶层、行业和职业群体？无论你是或曾是牙科医生、工程师、攀岩者、休闲骑车者、改装车迷、舞者或者其他职业的从业人员，你了解这些群体吗？**

   仔细地审视自己的简历、工作经历、运动习惯、兴趣爱好，列一张自己现在和曾经相关的所有群体的表格。看一下自己所拥有的产品和图书，包括在线购置和非网络订购的东西，问自己："哪种群体的人会和我买一样的东西？"你定期阅读或浏览哪些杂志、网站和简讯？

2. **你定位的哪一群体拥有自己的杂志？**

   去一家大书店，如 Barnes & Noble 书店，翻一翻杂志架上的小型专业杂志，看看能不能碰巧找到新的合适市场。实际上有几千种与职业、兴趣/爱好相关的杂志可供选择。除了书店，还可以参考《作家市场》

---

25. 这是我为了提前排除其他产品的竞争而新造出来的一个产品分类名称。在一个特定的产品类别里，要么做最大，要么做最好，要么就得最早。我选择做最早。

(*Writer's Market*) 确定杂志的读者定位。把群体范围从问题 1 缩小到只通过一两本小型杂志广告即可锁定的范围。这些群体（比如高尔夫球手、业余运动员、钓鲈鱼的人等）是否富有并不重要——关键是他们消费某种产品。给这些杂志打电话，和他们的广告主任谈话，告诉他们你有意刊登广告；要求对方通过电子邮件给你发送目前的广告收费单，包括客户情况和过刊样本。在过刊中搜索一下通过 800 免费电话或网站直接销售产品的连续刊登广告的制造商——重复刊登广告的客户越多，广告出现的频率越高，说明杂志给客户带来的利润越高……同样也会带给我们。

第二步：寻找（不要投资于）合适的产品

天才不过是能看到别人看不到的东西。

——约翰·罗斯金（John Ruskin，1819—1900，
英国作家，艺术家和社会评论家）

找出两个你最熟悉的市场——都有自己的杂志，并且能够以低于 5000 美元的成本在该杂志上刊登全页广告；杂志读者不能少于 15000 人。下面是真正有意思的环节了。现在针对这两个市场，我们开始寻找合适的产品了。

目标是不花成本形成完备的产品思路。在第三步中，我们会为这些产品策划广告并在投资生产之前先测试真实消费者的反馈意见。要确保终端产品能符合一个自控模式，有以下几个标准：

主要获益应该可以用一句话表达。

别人可以不喜欢你——你经常得罪一部分人来取得更多的销售业绩——但他们永远不应该误解你。

产品的主要获益应该可以用一句话或者一个词来解释。它有什么与众不同之处？我为什么要买它？朋友，只能用一句话或者一个词。苹果公司在推广 iPod 产品时就做得很好。他们没有使用该行业通用的惯用语，如容量大小、带宽等等，他们只是简单地说："口袋里的 1000 首歌。"结束了。简洁，如果还不能让大家清楚明白，就不要继续往前走。

产品的价格应该在 50～200 美元之间。

绝大多数公司把价格定位在中间层次，而那正是竞争最激烈的地方。低价位是目光短浅的，因为总会有人愿意牺牲更多的利润以致双方两败俱伤，最终破产。塑造质优价高的高端形象，超出市场竞争的高额收入，除了带来看得到的收益外，还有三个重要的好处：

1. 更高的定价意味着更少的销售量——也就只要管理更少的客户——就可以实现目标。这样速度更快。
2. 更高的定价吸引了维护需求更少的客户（更好的信用、更少的抱怨／问题、更少的退货，等等）。麻烦的事情更少。这非常重要。
3. 更高的定价也带来了更高的利润率。这样更安全。

我个人的目标价位是投入产出比为 8~10，也就是说定价 100 美元的产品最多只能有 10～12.5 美元的成本。[26] 如果采用通常建议的 5 倍产出投入比来给 BrainQUICKEN 产品定价的话，我早就会因为不诚信的供货商和延期的杂志而破产了，6 个月都熬不到。幸好，较高的利润率挽救了我的产品，12 个月内它

---

26. 如果你决定像道格拉斯一样销售他人的更高端产品，尤其是省去货运部分，风险就更低，所需的边际收益也就更小。

的利润就达到每月 80000 美元。

　　当然，高价也有自身的限制。如果单件价格超过某一位置，潜在客户可能会在决定购买前需要先和某人电话商量一下。这不符合我们的低信息食谱原则。

　　我发现 50~200 美元的定价区域能以最少的客户服务带来最大的利润。价格高，只要证明它高得合理。

产品生产时间不能超过 3~4 周。

　　从保持低成本和无需提前存货就能满足销售需求的角度来看，这一点非常重要。我不会经营那些生产时间超过 3 周或 4 周的产品，而且我建议，产品从定货到发货，时间不要超过 1~2 周。

　　那么，如何知道一个产品的生产时间有多长呢？

　　通过 http://www.thomasnet.com/，联系你有意经营的产品的合约生产商。如果你需要他人引见一位无法取得联系的生产商（如盥洗清洁产品生产商），可以求助于某位相关行业的生产商（如盥洗盆生产商）。仍没结果呢？你可以在 Google 上以产品名称的各种同义词加上"组织"和"协会"为关键词，来搜索合适的行业组织。要求他们引见和联系制造商，并且询问此类产品杂志的名称，因为这类杂志通常会有合约制造商及相关服务提供者的广告信息，后者我们在之后实现网络自控经营的时候需要用到。

　　从合约生产商那里询价，以确定自己的定价差额合适可行。确定生产量为 100、500、1000、5000 件时的单件产品成本。

产品应能通过网上"常见问题解答"即可进行全面说明

　　下面是我做 BrainQUICKEN 产品时的败笔。

　　尽管这种可吸收食品使我实现了新贵的生活，但是我也不希望大家再服用它。为什么不？每个客户都有 1000 个问题：服用产品的同时能吃香蕉吗？服用产品会不会导致吃饭时放屁？一个接一个，令人头晕。选择一个能够通过网络解答所有常见问题的产品。如果做不到，想抛开工作抽出时间去旅行根本就不太可能，你只能投上大笔资金给电话服务中心的操作员了。

明白了以上标准，还有一个问题："如何获得令人满意的合适产品？"有以下三个选择，我们推荐的主次顺序是选择三，选择二，选择一。

选择一：转销产品

以批发的形式购买一个已有产品然后转销，这是最容易但同时也是获利最少的方法。由于和其他转销商之间的价格竞争，这是起步最快也是消亡最快的途径。除非签订独家经销协议限制他人销售，否则每一种产品的获利寿命都会很短。然而，转销是做二级辅助产品 27 的上佳选择，因为这类产品既能销售给既有客户群体，也可以交叉销售 28 给新的网络客户或者电话客户。

批发购买的步骤如下：

1. 联系制造商，询问"批发价目表"（一般在零售价基础上给 40% 的折扣）和合作条款。

2. 如果需要一个商业纳税号，可以从所在州的公务网站上打印相应的表格，花 100~200 美元申请一家有限责任公司（我建议用这个），或者类似的保护性的商业组织。

如果没有完成下一章的第三步，请不要先行购买任何产品。目前只要完成

---

27. "二级辅助"产品指的是在原始产品销售之后再销售给客户的产品。iPod 封套和汽车的 GPS 全球定位系统就是两个例子。因为无需相关广告的费用，这些产品的边际效益就更低。

28. "交叉销售"指的是在原始产品售出以后，当客户仍然处在打电话或者网上购物篮状态时，向对方进行相关产品的销售。全面营销和直接回复词汇表请见 www.fourhourworkweek.com。

利润率的确定、产品和销售方案的定位就足够了。

这就是转销。没有更多的事情可做。

选择二：产品授权

我不仅要用上自己所有的脑力，还要用上所有能外借到的脑力。

——伍德罗·威尔逊（Woodrow Wilson，1856—1924，前美国总统）

世界上一些最著名的品牌和产品实际上是从某人或某地借鉴而来的。能量饮料红牛最初来自泰国的一种补品，卡通人物"蓝精灵"则来自比利时。"宠物小精灵"的形象来自生产本田汽车的地方。吻（KISS）乐队的唱片和音乐会收入已达几百万，但是真正的利润来源却是品牌使用许可权——授权他人大量生产带有自己名字和形象的产品，从而得到销售利润的提成。

在授权交易中有两方，新贵成员可以做其中任何一方。首先，一方是产品的创造者[29]，称为"授权人"，可以将生产、使用和销售自己产品的权利卖给他人，从售出的每件产品中提成批发价格（一般是零售价的60%左右）的3%~10%。只是创造，收取利润，剩下的让别人去做。这是个不错的模式。

交易的另一方是有兴趣生产和销售创造者产品并从中得到90%~97%的利润的"被授权人"。这对于我和大多数新贵而言更有吸引力。

然而对双方来说，授权都是复杂的交易，授权本身也是一门科学。创造性的合约谈判非常重要，对大多数读者而言，如果这是他们的第一个产品，他们肯定会遇到不少问题。无论是小熊特迪·华斯比的案例还是比利·布兰克的跆搏

29．也指版权和商标的所有者。

健身案例，都可以在 www.fourhourworkweek.com 网站上找到授权双方的真实案例研究，并附有真实美元交易的合约完全文本。而且，从如何销售没有原型或专利的新产品，到无名创业者如何保护产品的权利，都可以在这里找到答案。经济学的奥妙让人着迷，利润也令人吃惊。

与此同时，我们将专注于同样面向大多数人的一个最简单和最有盈利的选择：创造产品。

选择三：创造产品

> 与拥有相比，创造是更好的自我表达方式；人生正是通过创造而不是拥有来展示的。
>
> ——维达·D·史谷德（Vida D. Scudder, 1861—1954,
> 英国教育家，作家，社会福利活动家）

创造一个产品并不复杂。

"创造"听上去比实际做起来复杂。如果是一个复杂的产品——一项发明，完全可以在 www.elance.com 网站雇用机械师或者产业设计师来根据你对产品功能和外形的描述而设计生产出一个原型产品，然后再把它送到合约生产商那里。如果你发现合约生产商生产的某个普通产品能在某个特殊的市场进行重新定位，那就更简单了：让他们制造产品，然后在产品上贴上自己的标签，就立即变成了——新产品。后者常被称为"私营标签"。你在脊椎指压治疗师的办公室里看到贴有该办公室品牌的维他命产品吗？或者在好市多店里看到 Kirkland（好市多公司通用品牌）商品了吗？这就是"私营标签"的作用。

当然，在生产产品之前应该首先测试市场反应，如果测试很成功，下一步就是生产了。这意味着我们需要牢记设计成本、单件成本和最小订货量。创新的小器具和设备是很不错的产品，但是通常对加工生产有特殊要求，从而造成生产的初始成本过高，最终不能满足我们的标准。

暂且不考虑机械设备，也不考虑那些焊接和工程，有一种产品能满足我们所有标准，小批量制造的时间不超过一周，产出投入比的定价差额超过 8 倍，甚至可以达到 20~50 倍。

不，不是贩卖海洛因，也不是使用奴隶。那需要太多的贿赂和人际工作。

信息。

信息产品成本低、制造迅速，而且竞争者效仿起来非常耗时。回想一下电视广告中最畅销的非信息类产品——无论是运动设备还是辅助器械——在其他效仿者充斥市场前只能拥有 2~4 个月的生命力。我曾在北京学习过 6 个月的经济学，亲眼看到最新款耐克鞋或者卡拉威高尔夫球棒在美国上架一周后就被仿制出现在 eBay 网上。一点也不夸张，我说的还不是看上去很像的仿制品——而是成本只有原来的 1/20 的一模一样的复制品。

但是，对那些剽窃专家来说，当还有其他更容易复制的产品时，窃取信息就是一件太过耗时的工作。相比为避免侵权而解析全盘操作程序，绕开一个专利权要容易得多。所有时段中最成功的三个电视产品——在十佳电视广告畅销排行榜上占据 300 周以上——正显示出信息产品的竞争优势和利润率优势。

无须定金（Carlton Sheets 公司）
解决焦虑和抑郁（Lucinda Bassett 的著作）
个人力量（Tony Robbins，潜能开发专家）

我在与上述一家公司的某个主要老板的谈话中得知，2002 年，他们通过信息创造的价值收入超过 6500 万美元。他们本部的办公室员工不到25 人，从媒体购买到发货等其他基础工作，全部外包给他人。

每年，他们公司人均创利超过 270 万美元。难以置信。

在市场规模的另一端，我知道某人曾花了不到 200 美元就制作出低成本的 DVD 指导碟片，然后卖给想安装安全系统的存储设备经营者。再没有比这更合适的市场了。2001 年，他以每张 95 美元的价格通过行业杂志销售这种初始成本只有 2 美元的 DVD，他不要再雇任何人就赚了几十万美元。

但我不是专家！

如果你并不是一名专家，也不要着急。

首先，从产品销售上来说，"专家"就是指你比购买者更了解产品。你不需要其他任何知识。你没必要成为最好的——只要好过小批潜在客户目标数就行。假设你现在的梦想是参加阿拉斯加的 1150 英里 Iditarod 雪橇狗大赛——这需要 5000 美元才能实现。如果有 15000 名读者，其中只有 50 名（0.003%）相信你在某某技能上的卓越才能，愿意支付 100 美元让你参加一个培训班，你就有了 5000 美元。爱斯基摩人就出现了。那 50 个客户就是我说的"最小客户基础"——你需要使之相信你能够完成既定目标的最小数目的客户。

其次，如果你了解几项基本的信用指标和具备高等知识的公认的条件，就能够在 4 周之内打造专家的身份。你可以从本章的"打造专家：如何在 4 周内成为顶尖专家"一节中去学习。

获取信息内容的方式决定了你对专家身份的需要程度。有 3 种选择：

1. 自己创造内容，通常是将同一主题的几本书的观点相结合再转述出来。
2. 对进入公共领域不再受版权保护的信息内容进行再次利用，比如政府文件和现代版权法实施之前的材料。
3. 授权信息内容或者付酬请专家帮助你创造内容。可以预先一次性付费，也可以以版税形式支付报酬（比如净收入的 5%～10%）。

如果你的选择是 1 或者 2，你就需要在一个有限的市场里打造自己的专家身份。

　　假设你是一名房地产经纪人，和大多数经纪人一样，你非常想拥有一个简单而不错的网站来宣传自己和自己的生意，如果你阅读并且理解了有关主页设计的 3 本最畅销的图书，你就比 80% 的房地产经纪人杂志的读者懂得要多。如果你能总结信息的内容并且针对房地产市场提出建设性的意见，那么你在杂志上刊登的广告一定会收到 0.5%~1.5% 的回应。

　　通过对以下问题的思考，利用自己或他人的专长寻找目标市场中的指南类或信息类潜在产品。致力于价位在 50~200 美元之间的复合式产品，比如包括 2 张 CD（每张 30～90 分钟）、一份 40 页的 CD 文本和一份 10 页快速使用指南的产品。

1. 如何针对目标市场培养综合技能？——我称为"瞄准机会"——或者还能为目标杂志上已经畅销的产品增加点什么吗？要缩小圈子，深入思考，不能范围太大。

2. 你对什么技能感兴趣，而且你——同一目标市场里的其他人——愿意付钱去学习？成为这个技能的专家，然后生产产品指导他人。如果你需要帮助，或者想缩短这个过程，请思考下一个问题。

3. 你能访问哪些专家从而制作出可销售的音频 CD？这些专家不一定是最好的，但应比大多数人要专业。提供采访的原版数码拷贝给他们使用或者销售(这一点通常就足够了)，或者再支付一小部分预付酬金或按销售量给付版税。使用 Skype.com 网站的通话录音机（HotRecorder，最好使用这个，或者"附录：工具和方法"中推荐的其他相关工具），直接把这些谈话录到你的个人电脑上，然后把 mp3 文件发送给一家在线听写服务公司。

4. 你有没有从失败走向成功的故事可以做成给他人的指南类产品？回想一下你曾克服过的困难，无论是事业上的还是个人的。

打造专家：如何在 4 周内成为顶尖专家

该除去专家身上的神圣光圈了。让专业界指责我吧。

首先，被看成专家和是专家是有区别的。在商业界，前者是售出产品的人，而后者，和你的"最小客户基础"有关，指的是创造优秀产品并能够防止退货的人。

通晓某个领域内的所有知识是可能的——比如药品——但是如果在名字之后你没有一个医学博士的称号，很少有人会信服你所说的话。这里的医学博士就是我说的"信用指标"。拥有最多信用指标的所谓"专家"是能够售出最多产品的人，但不是最了解产品意义的人。

那么，如何在最短时间内具备那些信用指标呢？

我的一位朋友只花了 3 周时间就成为"顶尖的关系学专家，不仅被 *Glamour* 杂志和其他美国媒体进行特别报道，还为《财富》500 强企业的经理提供过如何在 24 小时内改善关系的咨询"。她是如何做到的？

她采取了一些简单的步骤，产生了信用的滚雪球效应。下面是你可以效仿的步骤：

1. 加入两到三个响亮的商业组织头衔。在她的例子里，她选择了"解决争议协会"（www.acrnet.org）和"性别教育国际基金会"（www.ifge.org）。这些头衔可以在网上通过一张信用卡花 5 分钟解决。

2. 阅读自己关注主题的 3 本最畅销书。（在线搜索《纽约时报》的最畅销书单），每本书总结一页纸。

3. 通过张贴海报宣传，在附近的知名大学里进行一次 1～3 小时的免费讲座。然后在位于同一区域的两家著名大公司（比如 AT&T 公司、IBM 公司等）的分公司也举行同样的讲座。告诉对方自己在某某大学或者某某学院也做过类似讲座，并且是步骤 1 提到的组织成员之一。强调你是免费为他们讲座，只是为了在学术之外增加自己的演讲经验，并不是销售任何产品或者服务。从会场的两个不同角度录制下讲座以备将来制作成 CD/DVD 产品。

4. 可选步骤。给自己关注主题的相关商业杂志投一两篇稿子，引用步骤 1 和 3 里你完成的事例证明你的信用度。如果遭到对方拒绝，就主动要求采访一位知名专家并采写一篇报道——你的名字仍然会出现在作者一栏中。

5. 加入美通公司的 ProfNet 服务。这是一个帮助新闻记者引用专业发言人的观点、丰富新闻故事内容的网络服务。成为公共人物很简单，只要你停止叫嚷开始倾听。通过步骤 1、3 和 4 证明自己的信用度，网上查询以回复记者的疑问。如果做得恰到好处，你就会出现在各种媒体上面，从地方小报到《纽约时报》和 ABC 新闻。

成为一个公认的专家并不难，所以我想现在就把障碍去除。

我并不赞成去假装成某某人物。我不是这个意思！"专家"是一个模糊的媒体术语，过于滥用也就定义不明确。现代专业定义中，大多数领域的专家技能都是通过群体关系、客户名单、书面证书和媒体报道来展示，而不是通过智商值或者博士学位。

用最好的方式展示事实，但不要编造，这是这个游戏的本义。

CNN 上再见。

问题与行动

本章主要是实践，所以"问题与行动"很简单。事实上，只有一个问题。

问题是："你阅读本章时有没有按指示去实践呢？"如果没有，去做！和往常的"问题与行动"部分不一样，本章的结尾以及此后两章将更注重提供更多的工具和方法，便于读者采取文中详细讲述的行动步骤。

挑战训练

找到"尤达"（3 天）

（尤达，Yoda，电影《星球大战》中绝地武士的精神领袖。——译注）

连续 3 天，每天给至少一位未来的著名导师打电话。只有在打过电话之后才能使用电子邮件联系。我建议在上午 8:30 之前或者下午 6:00 之后打电话，这样可以尽量避免秘书或者其他接待人员的转接。只向对方请教一个问题，一个自己做过研究但无法解答的问题。瞄准最棒的人——总裁、超级成功的企业家、著名作家等——不要为了减少恐惧而把目标定低。如果需要可以上 www.contactanycelebrity.com 网站，你的问询模式可以如下：

陌生接听者：这是 Acme 公司。（或者"这是某某导师的办公室"。）

你：你好！我是蒂莫西·费里斯，请找约翰·格里斯汉姆听电话。[30]

接听者：我能问一下您电话的来意吗？

您：当然。我知道这听上去有些唐突，[31] 不过我刚完成自己的第一部作品，又刚在《纽约之外的时间》杂志上读到了对他的访谈。[32] 长久以来 [33]

---

30. 随意而自信的口吻，会让事情变得不可思议的顺利。而使用"请帮我找某某先生 / 太太听电话"，会带来意想不到的负面作用。如果想增加接通电话的概率，就请直接称呼目标导师的名字，不过，万一露馅会很尴尬。

31. 当提出不同寻常的要求时，我使用这样的引入语。它可以起到缓和作用，同时也引发接听者的好奇，不至于立即干脆地回答"不行"。

32. 这句话回答了对方脑中的问题："你是谁，为什么现在打电话给他或者她？"我喜欢为"第一次"打出同情牌，而且发现最近一家媒体在进行在线特别报道中也引用了此话。

33. 对熟悉的人这么说。如果无法说出自己崇拜对方已久的话，就告诉对方你多年关注那位导师的职业生涯和商业经历。

我都非常仰慕他，好不容易鼓起勇气[34]给他打这个电话，只是为了咨询一个重要的问题。不会花他太多时间，最多两分钟。您能帮我接通他的电话吗？[35] 我非常、非常感激您的帮助。

接听者：嗯……等一下。我看看他有没有空。（两分钟后）好了，接通了。祝您好运。（转接另一条线的振铃声响起。）

约翰·格里斯汉姆：我是约翰·格里斯汉姆。

您：您好，格里斯汉姆先生。我叫蒂莫西·费里斯。我知道这听上去有点唐突，但是我刚刚完成自己的第一部作品，仰慕您已久。我刚在《纽约之外的时间》杂志上读了对您的专访，好不容易鼓起勇气给您打电话。我一直非常想就一个问题咨询您的意见，它不会花您太多时间，最多两分钟。我可以提问吗？[36]

约翰·格里斯汉姆：哦……好吧。说吧。我几分钟后要接一个电话。

您：（通话快结束时）十分感谢您的耐心。如果我偶尔遇到难题——非常偶然的情况——我可以给您发电子邮件吗？[37]

---

34. 不要假装很强势。让对方清楚自己很紧张，他们才会放松警惕。即使我并不感到紧张，我也经常装成这样。
35. 这里的措词非常关键。请对方给予"帮助"。
36. 只是再重复一遍前面的一段话，不要废话——直接进入重点，寻求对方接受自己提问的肯定回复。
37. 结束谈话时为以后的联系打开一扇门。从电子邮件开始，发展和导师之间的指导与被指导关系。

附录：工具和方法

确定足够的市场规模

○作家市场（www.writersmarket.com）

你会找到几千种不同专业的有用杂志的清单，包括它们的发行量和订阅数额。我更喜欢阅读该杂志的印刷版。

○标准比率和数据服务（www.srds.com）

你可以查到每年杂志名录和可租用的公司客户邮寄地址名录。如果你打算制作一盘如何用猎枪打鸭子的指南性录像带，请首先查一下猎枪制造商的客户名录有多大，再查一下相关杂志。去图书馆查阅印刷版，就不要为网上查阅权限付什么糊涂账了。

找到要转销的制造业或者产品

○托玛斯生产商记录册（www.thomasnet.com）（800-699-9822）

这是一个可供查询的合约生产商数据库，其生产产品范围从内衣、食品到飞机零部件，应有尽有。

○直接运达产品的相关资料（www.dropshipsource.com）（877-637-6774）

本网站提供了各种方法，帮助你找到愿意直接发送货物给客户的生产商，从而避免了预先购买存货。如果没有找到，那就直接从竞争对手那里订购决定要转销的产品，然后用 Google 搜索产品"来自"的地址。这样，你会找到直接发货的生产商，然后就直接联系他们了。

○www.ingrambook.com，www.techdata.com

这两个网站可以查询到电子产品、DVD 和图书的相关信息。

○www.housewares.org，www.nationalhardwareshow.com（847-292-4200）

这里可以找到家用器皿、五金器具和相关人员（屏幕解说）的相关信息，也可以参加当地或州立交易会。

○www.expoeast.com，expowest.com

这些网站可以查到消耗品和维他命产品的信息。

找到可以重新利用的公共领域信息

在使用明显的公共领域材料之前，请务必和知识产权律师谈一谈。如果某人改动了某个公共领域作品的20%（比如通过删减、脚注的方式），这个完整的"新"作品就应该受到版权保护。未经许可的使用则可能因为侵犯版权而受罚。细节问题比较复杂。你可以自己做初始研究，但在准备开发产品之前，先找专业人士查看一下你的研究结果。

○古腾堡项目（www.gutenberg.org）

古腾堡项目是一个包括15000 种以上公认进入公共领域的文献的数字图书馆。

○LibriVox（www.librivox.org）

LibriVox 是提供公共领域音像书的免费下载的集合。

将采访专家的电话录音制造成 CD 产品

○HotRecorder（www.hotrecorder.com）

通话录音机 HotRecorder 可以录制任何 PC 电脑上拨出或接听的电话，可以与 Skype（www.skype.com）及其他程序一起使用。

通过授权换取版税

○发明权（www.inventright.com）（800-701-7993）

斯蒂芬·基是我见过的最成功的常青树型发明家，他从迪士尼、雀巢和可口可乐公司得到几百万的版税。他并不擅长于研制高科技产品，但是特别善于创造简单产品或者改进已有产品然后把他的想法授权（租借）给大公司。他想出某个点子，只花 200 美元不到给这个点子申请一个临时专利，然后让其他公司去做剩下的事情，自己只管收钱。本网站介绍了如何顺利做到同样的事情。单是他向潜在客户进行电话推销的技巧就非常有价值。强烈推荐。

○高西 - 伦克公司（www.guthyrenker.com）（760-773-9022）

高西 - 伦克公司是电视直销业的最大巨头。公司每年销售收入超过 13 亿美元，其产品包括非常轰动的安东尼·罗宾潜能开发系列产品、高伦雅芙除痘系列、温莎普拉提健身计划等。如果你达到了公司的要求，虽然不能指望超过 2%～4%的版税，但是巨大的版税数额仍能让你感觉超值。通过网络提交你的产品。

为尚未开拓利用的想法申请专利再转成产品

○美国专利和商标局（www.uspto.gov）（800-786-9199）

○www.autm.net

在"技术转让办公室"（Technology Transfer Offices）下的"查看所有列表"中，可以查到大学科研成果里的一些可申请专利的技术。

○www.uiausa.org/Resources/InvertorGroups.htm

发明家团体和协会，可以打电话询问会员们是否有可申报专利的发明。

成为一名专家

专业导航的 ProfNet （www.prleads.com/discountpage）

登陆该网站并注册专家身份后，可以每天收到新闻记者希望引用你的专业观点的消息，或者记者希望为当地媒体甚至 CNN 和《纽约时报》等媒体进行专家访谈的邀请。不要将自己局限于专业界，协助人们解决实际问题。本书读者在该网站注册有一定优惠，可以付一个月的费用接收两个月的信息。

○专家点击（www.expertclick.com）

这是专业人士的另一奥秘。通过这个每月点击量达 5 百万的网站，向媒体公示自己的专家简历，接收每日更新的顶尖媒体联系方式数据库，免费给 12000 个记者寄新闻稿。通过这样的途径我上了 NBC 电视，还拍了一部黄金时间的电视节目。真的很有用。在电话里提及我的名字，或者在网上使用"蒂姆·费里斯 100 美元"，可以得到 100 美元的折扣。

⑩

收入自控 II

测试缪斯

> 很多理论只有被某些重要实验揭示了错误时才会消失……因此实验主义者是
> 任何科学领域的侍卫，是他们保证了理论家的诚实。
>
> ——加来道雄（Michio Kaku，1947—，日裔美国理论物理学家）

在每年出版的 195000 种图书里，只有不到 5%的图书可以销售 5000 册
以上。即使是有几十年经验的出版商和编辑团队也经常遭遇失败。
Border 书店的创始人曾在与全国杂货递送服务 WebVan 公司的合作中损失了价
值 3 亿 7 千 5 百美元的投资债券。[38] 为什么会出现这样的问题？因为没有人需
要。

凭直觉和经验来预测产品和生意是否会盈利是非常不灵的。顾问团也起不
了作用。问 10 个人，看看对方是否愿意购买你的产品。然后告诉那些回答
"是"的人，在你的车里就有 10 件产品，要求对方现在就购买。刚开始，人们
出于善意和友好会给出肯定的回复，但在真正要花钱的时候，就会立即变成了
礼貌的拒绝了。

要得到准确的商业可行性分析，不要问对方想不想买——而是直接问对方
买不买。第二个问题的答案才是真正重要的信息。

新贵们的方法正反映了这一点。

---

38. http://news.com.com/2100-1017-269594.html?legacy=cnet

第三步：微型测试你的产品

微型测试，指的是在产品制造之前投入少量的广告费用来测试客户对产品的反应。[39]

在互联网出现之前，只能在报纸杂志的分类广告栏内做广告，让潜在客户拨打已预先录音的销售声讯电话。那些潜在客户会在声讯电话中留下他们的联系方式，然后，根据来电者的数量和随后的销售信函的回复情况，制造商可以决定是生产该产品还是放弃。

在互联网时代，出现了更好、更便宜、更快捷的工具。我们可以在上一章提及的 Google 关键词广告上测试产品的创意——这是最大最全的点击付款（PPC）引擎——5 天只需支付 500 美元不到。这里的 PPC 指的是在 Google 正常搜索结果的右上方所列出来的重点搜索结果。广告客户付费后，当人们搜索某个与广告客户产品如"认知类药物"相关的词时，广告客户的广告就会出现在搜索结果的右上方，每次有人点击进入他们的网站时，广告客户就得支付一小笔费用，额度从 0.05~1 美元不等。想进一步了解 Google 关键词广告和 PPC，请登陆 www.google.com/onlinebusiness 网站。想了解更详细的 PPC 策略案例，包括一份完整的 90 天 PPC 市场计划，请登陆 www.fourhourworkweek.com 网站。

基本的测试过程包括以下三个部分，在本章中都有介绍。

在竞争中胜出：了解市场竞争情况，创制一个更具吸引力的产品供应单，放在只有 1~3 页的基础网站上（1~3 小时）。

测试广告：使用 Google 关键词广告测试自己的产品供应单（3 小时设置，

---

39. 在发货之前就向客户收费一般是不合法的——我们也不会这么做——但是这样的做法仍然比较普遍。如果货物从纽约到加利福尼亚只要 3~5 天时间，那为什么仍有那么多的广告宣称"3~4 周送货"？因为这样留出了公司制造产品的时间，而制造成本都来自客户的信用卡支付款额。这是很聪明的做法但是常常不合法。

5 天的被动观察）。

放弃或者投资：放弃未通过测试的产品，大批量生产并销售成功通过测试的产品。

我们把舍伍德和约翰娜两人各自的产品创意——法国水手衫和针对攀岩者的瑜珈 DVD——作为案例，研究如何设置测试的步骤，以及你该如何做。

去年夏天，舍伍德在法国旅行时买了一件条纹水手衫，他回到纽约后，不断有 20~30 岁的男性青年在街上走过来问他这件衣服在哪儿买的。于是，他感到机会来了。他找来了纽约市各种针对这个群体的过期周刊，并且给法国的制造商打电话询价。他发现，可以以 20 美元的批发价买进这种水手衫然后再以 100 美元的零售价卖出。考虑到货物运至美国的费用，他在每件水手衫的成本上加了 5 美元，每件成本就是 25 美元。尽管这还不是我们的理想定价差额（4 倍 VS. 8~10 倍），他还是决定无论如何要试一下。

约翰娜是一位瑜珈教练，她发现自己不断增加的客户中有大部分是攀岩运动爱好者。她本人也是攀岩运动爱好者，于是，她开始考虑制作一张针对这项运动的瑜珈指导 DVD，同时附上一本 20 页的活页指南手册，定价为 80 美元。她预计，制作一张低成本的 DVD 母带需借一台摄像机、一盒 90 分钟的数码带，以及一位朋友的 Mac 手提电脑来进行简单的剪辑。此后，她可以在自己的手提电脑上制作小批量的首版 DVD——无须菜单，直接是影片和标题——然后用 www.download.com 网站的免费软件制作碟片标签。通过与碟片复制店联系，她得知，如果复制小批量（至少 250 张）的专业碟片，每张需要 3~5 美元，包括封套。

有了创意和初始成本的估算，下一步是？

在竞争中胜出

首先，每一种产品必须经过竞争能力的测试。舍伍德和约翰娜如何战胜竞

争对方，提供更好的产品或保证呢？

1. 舍伍德和约翰娜 Google 了一下，搜索各自产品的最热关键词。为了找到相关联的和衍生的关键词，两人都使用了搜索关键词建议工具。

   Overture：http://inventory.overture.com/d/searchinventory/suggestion/

   Google：http://adwords.google.com/select/main?cmd=KeywordSandbox

   Ask.com：www.ask.com（键入一个关键词可以在右侧看到"缩小您的搜索范围"，"扩展您的搜索范围"和"相关关键词"）

   两个人都登陆了不断出现在最前面搜索结果的三个网站和相关 PPC 网址。然后，舍伍德和约翰娜如何让自己的产品与众不同呢？

   ○使用更多的信用指标（媒介、学术界、协会和证书)？

   ○创建更好的产品保证？

   ○提供更好的选择？[40]

   ○免费或者更快捷的发货？

   舍伍德发现，在竞争对手的网站上很难找到与自己产品类似的水手衫，那些网站上有几十种水手衫的介绍，不是产自美国（非正宗）就是从法国运来（客户必须得等 2—4 周才能拿到产品）。约翰娜没有找到"针对攀岩运动的瑜珈"DVD，她所做的是一个全新的产品。

2. 现在，舍伍德和约翰娜需要制作一份精彩的单页广告（300~600 个字词）来强调他们产品的与众不同，用文字和图片（个人照片或者网上下载的图像）来说明产品的好处。两人都用了两周的时间来收集那些引起他们购买欲望或者注意力的网络广告和印刷广告——这些广告可以作为样本。[41]约翰娜从学习瑜珈的客户那里取得产品的测试评价，舍伍德则

---

40. 这适用于舍伍德而非约翰娜。
41. 我最成功的产品 BodyQUICK 的广告口号（"增加力量和保证速度的最快捷方式"）从何而来？我借鉴了经久不衰、也最盈利的 Rosetta Stone 的广告语："学习一门语言的最快捷方法。"重新创造一种模式成本非常昂贵——做一个敏锐的观察者，发现已经有效的模式，然后去改造它。

让朋友们试穿这些水手衫并把朋友的评价写在广告里。另外，舍伍德还向制造商要了照片和广告样本。

在 www.pxmethod.com 网站上可以找到一个很好的范例，即我是如何利用研究会参与者的评价来创建一张测试单的。前面"打造专家"部分所推荐的免费指导讲座是宣扬产品特色和定位的理想方式。

测试广告

现在，舍伍德和约翰娜需要测试客户对广告的真实反应。首先，舍伍德在 eBay 网上进行一次 48 小时的拍卖，在拍卖中他使用了自己的广告语进行测试。他把"底线"（他能接受的最低价格）定为每件 50 美元，为避免法律上的麻烦，他在最后一分钟取消了拍卖，因为他并没有产品可以发货。他收到的竞拍价最高为 75 美元，于是他决定进入下一阶段的测试。约翰娜不习惯这种带有明显欺骗性的举动，于是省去这一初试环节。

舍伍德的成本：<5 美元。

两个人都发现一个可以放置单页广告的低成本服务商，如 www.bluehost.com 网站。Bluehost 的平台可以为他们提供一个域名；舍伍德选择了 www.shirtsfromfrance.com，约翰娜选择了 www.yogaclimber.com。为获得更多的域名，约翰娜还选择了便宜的域名注册商 www.domainsinseconds.com。

两人的成本：<40 美元。

舍伍德使用 Dreamweaver 网页制作工具来制作他的单页网页广告，然后又增加了两个页面。如果有人点击了第 1 个页面底部的"购买"按键，就会被带到有定价、发货和处理操作的第 2 个页面，[42] 还有要求填写一些基本联系方式（包括电子邮件地址和电话号码）的表格。如果访问者按下"继续订购交易"键，就会被带到第 3 个页面，上面写着："很不幸，我们目前正处于延期交货时

---

[42]. 舍伍德将发货和处理信息放在最终的订购页面之前，这样，人们不会只是为了确定总价而去进行最终订购的操作。他希望"订单"能真实反映订购情况而不只是一个价格检验器。

期，一旦有存货到位，我们会尽快联系您。谢谢您的耐心等待。"这种设计结构让他能分别对第 1 页单页广告和定价进行测试。如果有人到达最后一个页面，就可以视作是一份订单。

尽管舍伍德最终未接收确认账单数据，这种方式还是合法的，但约翰娜还是不喜欢这种"纯粹的测试"方式。她以 100 美元从 www.elance.com 雇请了一名设计师，请他制作一个单页网站，包含她的单页广告和一个注册窗口，只要客户登记电子邮件地址即可以免费获得攀岩瑜珈"十大技巧"。她认为可以把 60% 的邮件注册当成假定的订购要求。

两人的成本：<150 美元。

两人都从 50~100 个搜索关键词中选择设置了简单的 Google 关键词广告，在增加网页的访问量时，同时测试网页的大标题。他们每天的预算限制在 50 美元。（在进行 PPC 持续测试的时候，我建议你先访问 www.google.com/onlinebusiness 网站，然后花 10 分钟左右创立自己的账户。如果上网瞥一眼就能明白的事情要花 10 页来解释其术语，就太过于浪费了。）

舍伍德和约翰娜使用前文中提到过的搜索关键词建议工具决定最佳的搜索关键词。为提高网站的转换率（网页访问者购买的百分比，直接反映网站的盈利状况）和降低点击成本，两个人都选择了精确的关键词（"法国水手衫"相比"法国衫"；"运动瑜珈"相比"瑜珈"）。同时，他们也通过四次定位找出点击成本低于 0.2 美元的第二特定关键词。

舍伍德将使用 Google 免费分析工具来跟踪"订单"情况和网页浏览放弃率——网页访问者在哪个页面离开的比例。约翰娜则使用 www.aweber.com 来追踪电子邮件地址的注册率。因为舍伍德和约翰娜自己都不明白如何使用这些工具，于是他们雇请了自由网络程序员帮他们设置。

两人的成本：100 美元。

在设置 Google 关键词广告时，舍伍德和约翰娜都注重强调自己产品的不同之处。每一条 Google 关键词广告的广告包括一个大标题和两行描述语，两者都不能超过 35 个字符。以舍伍德为例，他创立了 5 个组，每组 10 个搜索关键词。
下面是他的两个广告。

来自法国的水手衫	正宗法国水手衫
法国质量，美国发货	法国质量，美国发货
终身质保！	终身质保！
www.shirtsfromfrance.com	www.shirtsfromfrance.com

约翰娜也同样创立了 5 个组，每组 10 个搜索关键词，并且测试了一些广
告，包括：

攀岩者的瑜珈	攀岩者的瑜珈
5.12 级攀岩者的 DVD	5.12 级攀岩者的 DVD
快速变得更柔韧！	快速变得更柔韧！
www.yogaclimber.com	www.yogaforsports.com

请注意这些广告不仅可以用来测试大标题，还可以测试产品承诺、产品名
称和网络域名。其实很简单，制作几个广告，Google 会自动为你调整其中次序，
保持其他都不变，只有一个变量，从而对这个变量进行测试。你应该明白我是
如何为本书选定这个最佳书名的了吧？

舍伍德和约翰娜都把 Google 上只为最有效广告服务的功能关闭了。这对此
后比较点击通过率和将最佳因素（标题、域名、文本）组合成最终版本的广告，
非常有必要。

最后，你必须明确，广告并不是把潜在客户骗来访问网页。产品的供给情
况应该非常清楚。我们的目标是有效流量，所以，我们不希望为了吸引网页浏
览者或者那些不愿意购买的好奇者而主动提供一些"免费"的名目。

两人的成本：每天小于或等于 50 美元× 5 天 =250 美元 [43]

---

43. 记住，100 个特定关键词每次点击 0.1 美元，比 10 个宽泛的关键词每次点击 1 美元有效得多。支付
的钱越多，所带来的流量也越大，统计的结果也就越有效。如果预算允许，增加相关联关键词的数量和
每日支出，这样整个PPC 测试的成本就是 500~1000 美元。

放弃或者投资

5 天之后，是统计结果的时候了。

什么是"良好"的点击通过率和转换率呢？这里的计算容易令人迷惑。如果我们以 80%的利润率销售一件 10000 美元的极地战将（一电影主角）服饰，很显然，这比以 70%的利润率销售 50 美元的 DVD 碟片需要的转换率更低。若想找到更完善的工具和免费的电子制表软件进行所有的计算工作，可以登陆 www.fourhourworkweek.com 网站。

约翰娜和舍伍德决定在这一阶段只做简单的计算：他们在 PPC 广告上的花费是多少钱，"销售"出的产品又值多少钱？

约翰娜做得不错。尽管网页访问量并不足以做仔细的统计研究，但是她在 PPC 上花费了 200 美元，得到 14 个要求免费"10 大技巧"的电子邮件注册。假设 60%的注册者最终会购买 DVD，那就意味着 8.4 个人× 每张 DVD 利润 75 美元 =630 美元的假定总利润。这还没有考虑每位客户的潜在终身价值（指客户其一生所带来的价值）。

小测试的结果并不一定保证未来的成功，但其反映出的迹象还是非常积极的，于是她决定每月支付 99 美元和小额的每次交易费用，在 Yahoo 商店上创立一家自己的店。她的信用度还不够高，所以，她选择使用 www.paypal.com 网站在线接受信用卡的付款，而不是到银行开设商业账户[44]。她向那些注册电子邮件地址的人发送了"十大技巧"，并且要求对方回复对产品的反馈意见和对 DVD 碟片内容的推荐意见。10 天之后，她终于可以第一次发货了，网上商店也开始运行了。她销售给最初注册要求订购的客户的产品收入超过了生产的成本，很快，她每周通过 Google 关键词广告和 Overture（第二大 PPC 引擎）就能卖出可观的产品数量——10 张 DVD（750 美元的利润）。她计划在合适的杂志上试登广告，还要创建一个自控的模式把自己从整个交易过程中解放出来。

---

44. 接收信用卡支付的支票账户。

　　舍伍德也看到了产品的潜力。他在 PPC 上花了 150 美元"卖出" 3 件水手衫，"赚"到 225 美元的利润。他的网页流量足够大，但是大部分的访问者在定价那个页面离开了。他没有降低定价，而是在定价页面进行了"返还 2 倍价格的质量保证"的测试，如果客户感觉 100 美元的水手衫不是"他们穿过的最舒适的"水手衫，就能得到 200 美元的返款。这次测试，他"销售"出 7 件水手衫赚了 525 美元的利润。基于这些结果，他通过银行创立了一个商业账户来处理信用卡业务，然后从法国订购了 12 件水手衫，10 天之内，他就卖完了所有的产品。这笔利润足够让他在当地一份艺术周刊上登一个小广告，他还争取到一半的折扣（要求对方给予"首次刊登广告的折扣"，然后再引证其他竞争性杂志的合作情况，使对方再给出 20% 的折扣），广告里他把这种水手衫称为"杰克森·波洛克衫"（杰克森·波洛克，Jackson Pollock，1912—1956，美国抽象表现主义画家。——译注）。他继续以发货 30 天付款的条件从法国订购了 24 件水手衫，并在杂志广告里留下一个可以转接到他手机上的免费拨打电话号码 [45]。为什么不使用网站呢？原因有两个：1）他想确定哪些是最常见的问题，然后放在网络在线的常见问题解答中；2）他想测试一下每件 100 美元（75 美元利润）和"买二赠一"（200 美元－75 美元 =125 美元利润）两种销售方案的优劣。

　　杂志广告登出后的 5 天之内，他就卖完了所有的 24 件水手衫，大多数客户都是以特价购买。成功了。他重新设计了杂志广告，并增加了常见问题的解答以减少问询电话，另外，他还决定和杂志方面商定长期广告合作协议。他给杂志销售代表寄去一张支付 4 期广告费用的支票，要求得到广告费用 30% 的折扣。然后，他打电话给对方，确认对方已通过联邦快递收到了支票，因为支票已拿在手里，同时出版的最后期限又迫近，杂志方没法拒绝。

　　舍伍德打算辞去原来的工作，他想先离开公司休假两周去柏林。他将如何一边继续水手衫的成功销售，一边又能逃离原来的公司呢？他需要创建一种新

---

45. 本章节结尾部分和下一章将告诉你如何设置这样的服务。

的模式，实现自己的移动缺席管理（Management by Absence，MBA）。

这就是下一章的内容了。

再访新贵：道格拉斯是如何做到的？

还记得 ProSoundEffects.com 的道格拉斯吗？他是如何测试创意并从每月 0 美元的收入变为 10000 美元收入的呢？他遵循了以下步骤。

1. 选择市场

他选择音乐和电视制作人作为他的市场，因为他本人就是个音乐人，也使用过此类产品。

2. 灵感产品

他从音效库的最大生产商那里选择可以转售的最畅销产品，并和对方达成批发购买和代为发货的协议。这些音效库的售价多在 300 美元以上（最高可达 7500 美元），所以，相比那些销售低价产品（50~200 美元）的人，他需要回答更多客服电话。

3. 微观测试

为在购买存货之前测试出产品的需求量（和可能定出的最高价格），他在 eBay 上拍卖产品。只有接到别人的订购时，他才去订购产品，而产品将直接从生产商的仓库里发出。基于 eBay 上确认的需求量，道格拉斯在 Yahoo 商店上开设了一家商店销售这些产品，同时开始测试 Google 关键词广告和其他 PPC 搜索引擎。

4. 保持成功和自控

这次测试之后，随着足够的现金流的产出，道格拉斯开始试验在商业杂志上做平面广告。同时，他精简并外包业务，以减少自己被牵制的时间，从每天2 小时到每周 2 小时。

挑战训练

讨价还价（3 天）

在这项训练之前，如果可能的话，先登陆本书相关网站，阅读在线补充章节"如何以 10000 美元的费用做 700000 美元的广告"，然后周六、周日和周一连续 3 天，每天留出 2 小时时间。

周六和周日，去农贸市场或者其他户外销售的活动现场。如果无法做到，就去独立的小型零售商店（不是连锁店也不是大型零售商店）。

设定 100 美元的谈判学费，寻找总价至少为 150 美元的东西。你要做的就是把销售者的价格打压到 100 美元或者以下。最好一次购买好几件便宜的东西，这样比购买一两件大物件时更容易要求减价。他们第一次给出报价时，你一定要问："有折扣吗？"让他们先自行减价。在营业时间快结束的时候去谈判，确定自己的目标价位，计算一下，然后把需要的现金数额[46]拿在手里向对方报出你可以接受的实盘价。如果对方不能满足你的目标价位，试着转身离开。周一，给两家杂志社打电话（做好第一家会让自己尴尬的准备），使用本书相关网站上的交谈句型和对方谈判，在对方最终的实盘价上再予还价。把价格尽可能地压

---

46. 为更好理解这些术语，请登陆 www.fourhourworkweek.com 网站阅读在线补充章节。

低，稍后再给他们回电话，解释说自己的建议被上层管理层否决了。

这种谈判相当于纸上交易（paper trading）[47]。让自己习惯于拒绝别人的报价，亲自还价，并且——更重要的是——通过电话。

---

47. "纸上交易"指的是：设定想像的预算，"购买"股票（把目前的价值写在一张纸上），然后跟踪一段时间股票的表现，这样就可以观察到，如果交易是真实的，自己的投资技巧如何。在实战中真正运用技能之前，这是一个无风险的锻炼投资技巧的方法。

附录：工具和方法

测试缪斯网页样本

○PX 方法（www.pxmethod.com）

这种销售模板可用来测试速读产品的可行性，测试非常有效。注意它是如何使用证书、信用指标和无风险保证，又是如何把定价放在不同的页面使它单独成为一个测试的变量。可以把这个网站作为参考——它是一个可以效仿的简单有效的模板。

每次点击付款广告介绍

○Google 关键词广告指南（www.google.com/onlinebusiness）

市场规模和关键词建议工具

○Overture（http://inventory.overture.com/d/searchinventory/suggestion/）

○Google（http://adwords.google.com/select/main?cmd=KeywordSandbox）

○Wordtracker（www.wordtracker.com）

○Ask.com（www.ask.com，键入一个词，可以在右侧看到不同的近义词）

随意想几个其他 PPC 的搜索关键词，估计一下搜索这些词的人数。

低成本的域名注册

○几秒钟注册域名（www.domainsinseconds.com）我在这里注册了近 100 个域名。

○Joker（www.joker.com）

○免费注册域名（www.domainsarefree.com）

便宜而可靠的网站寄存服务

○Go Daddy（www.godaddy.com）

○1and1（www.1and1.com）

○BlueHost（www.bluehost.com）

○RackSpace（www.rackspace.com，以专用服务器和托管服务器闻名）

○Hosting.com（www.hosting.com，以专用服务器和托管服务器闻名）

当你的网站和别人的网站一起放在一个单一的服务器上时，分享的寄存服务就非常便宜，所以，我建议你使用两个服务商，一个作为主要的，另一个作为后备的。把网站页面放到每个寄存服务器上，并在 www.no-ip.

com 网站注册，这样可以把访问量（域名服务器 DNS）改向引导到后备网站的时间缩短为 5 分钟，而不是往常的 24—48 小时。

免费和收费网上图像库

○免费网上图像库（www.freestockphotos.com）

网上众多图像数据库之一。图像按目录分类，如从动物类到古代废墟类等，可用于私人和商业用途。

○Getty Images（www.getty.com）

这是专业人士常去的网站。支付一定费用就可以看到各种图像或电影。我为全国发行的平面广告所需的大多数图像支付了 150~400 美元，效果非常好。

追踪电子邮件地址注册和设置自动回复

○AWeber（www.aweber.com）

付款过程的端到端网站解决方案

○Yahoo 商店（http://smallbusiness.yahoo.com/ecommerce）（866-781-9246）

这是道格拉斯使用的网站。每月只需支付 40 美元，每笔交易支付交易额的 1.5%。全天候的支持服务非常棒。

○eBay 商店（http://pages.ebay.com/storefronts/start.html）

每月支付 15~500 美元不等，另外还有 eBay 的费用。

测试网页的简单付款处理程序

○PayPal 购物篮（www.paypal.com）

几分钟之内就可收到信用卡付款。没有月费（每笔交易支付交易额的 1.9%~2.9%和 0.3 美元）

○Google 检测（http://checkout.google.com/sell）

在关键词广告中每花 1 美元就可以在免费处理过程中省 10 美元，之后每笔交易支付交易额的 2%和 0.2 美元。这个检测要求客户有一个 Google 用户名。因此可以作为前述付款解决方案的最有效的补充办法。

了解网络流量的软件（网络分析）

○Google 分析（www.google.com/analytics）

○Clicktracks（www.clicktracks.com）

○WebTrends（www.webtrends.com）

人们是如何找到、浏览并离开你的网站的？每一个 PPC 广告带来多少潜在客户？哪些网页最受欢迎？这些程序可以告诉你所有这一切。Google 对大多数低容量网站是免费的——而且比很多付费软件要好——因为其他软件每月要收取 30 美元或者更多的费用。

A/B 测试软件

○Offermatica（www.offermatica.com）

○Vertster.com（www.vertster.com）

○Optimost（www.optimost.com）

你知道，测试只是游戏的另一称谓罢了，但要测试所有的变量，情况就会非常复杂。你怎么知道主页上哪一种大标题、文本和图像的结合能带来更多的销售额呢？与其费时地使用一种版本一段时间后再换一个版本，不如使用这种软件，它可以为浏览网页的潜在客户展示你主页的不同版本，并为你作出相应的统计和计算。

低成本免费拨打电话号码

○TollFreeMAX（www.tollfreemax.com）（877）8888-MAX

TollFreeMax 可以让你拥有自己的免费拨打电话号码，来电可以转接到任何电话号码上。语音邮件则可转到你的电子邮件地址上。

了解竞争对手网站的流量

○Alexa（www.alexa.com）

了解你的竞争对手的流量如何，是谁把链接接到他们的网站上的。

自由设计师和程序员

○eLance（www.elance.com）（877-435-2623）

○CraigsList（www.craigslist.org）

11

收入自控Ⅲ

缺席管理

未来的工厂只需要两个员工，一个人和一只狗。人是用来喂狗的。狗是用来防止人去碰机器的。

——沃伦·本尼斯（Warren G. Bennis, 1925—,
南加利福尼亚大学企业管理教授，曾任肯尼迪总统和里根总统的顾问）

大多数企业家一开始并不把自控当成他们的目标，于是他们陷入巨大的混沌之中。这个世界里的每一个商业巨头相互间都矛盾不断。看看下面的话：

如果一个公司的维系是爱而不是恐惧，那么这个公司就更加强大……如果员工先来上班，那就表示他们很开心。

——赫伯·凯勒赫（Herb Kelleher, 美国西南航空的创始人之一）

看，孩子们。我非常霸道地创立了公司。又非常霸道地经营着它。我一直是非常霸道的，你永远不要想改变我。[48]

——查理斯·露华森（Charles Revson, 露华浓创始人和高级总管）

---

48. 理查德·泰德罗（Richard Tedlow），《企业巨人：七位企业改革者和他们建造的帝国》（*Giants of Enterprise: Seven Business Innovators and the Empires They Built*）（2001 年出版，HarperBusiness 公司，2003 年重印）。

嗯……该听谁的？如果你反应迅速，就会发现我给你的是一个非此即彼的选择。好消息是，和往常一样，还有第三种选择。

在企业管理类图书或其他地方，你所看到的相互矛盾的意见，通常和对员工的管理有关——如何处理人这个要素。赫伯告诉你给员工们一个拥抱，露华森让你严厉地对待员工，而我告诉你：可以通过精简掉所有人员来解决问题：去除人这个要素。

一旦你拥有了热卖的产品，就可以设计一个能自我纠错的自行运营企业模式。

远程控制 CEO

> 幸运的是，人类有隐藏自己的本领，否则，具有野兽天性的人类将会互相吞噬。
>
> ——亨利·沃德·比彻（Henry Ward Beecher，181—1887，美国废奴运动领袖）

宾夕法尼亚州，乡下。

在一幢有 200 年历史的乡间石屋里，一次"21 世纪领导才能的试验"正在悄悄按计划进行着。[49]

斯蒂芬·麦克唐纳尔正在楼上穿着拖鞋看电脑里的电子数据表。从创立伊始，他公司的年收入就以每年 30% 的增长率增长，现在他能花比想像中更多的时间和三个女儿在一起。

试验？作为苹果门农场的总裁，他坚持每周只花一天时间在新泽西州桑莫塞郡桥水市的公司总部。当然，他并不是惟一一个大多数时间呆在家里的总

---

49. 改编自 2005 年 10 月 Inc.杂志上的"远程控制 CEO"。

裁——还有几百个因为心脏病发或者精神崩溃需要时间恢复的总裁们也呆在家里——但这中间有一个非常重要的区别。麦克唐纳尔这样的生活和工作模式已经持续 17 年了。更重要的是，他在创建公司 6 个月后就开始这样的模式了。

这种有意识的缺席使得他创建出一个程序驱动而非创始人驱动的企业。和经理们之间的有限交流使得企业老板发展出一套运营模式，使其他人不用打电话向他求助，而是自己面对和处理问题。

这并非只适用于小规模经营。苹果门农场向高端零售商出售 120 多种有机和自然肉制品，每年盈利超过 3500 万美元。

这一切都能成为现实，是因为麦克唐纳尔从一开始就定好了自己最终的目标模式。

风景背后：缪斯模式

命令是任何人都不能看到伟大的奥芝！没有任何人，没有任何办法！

——翡翠城大门守卫，《绿野仙踪》（*The Wizard of Oz*）

开始就确定最终目标——企业最终的组织结构图，并不是什么新思路。

名声显赫的生意大亨韦恩·赫赞加就曾模仿麦当劳的组织结构，把录像带租售店百视达打造成亿万美元的巨头，其他十几家巨头也是这样发展起来。我们与他们的不同点在于"心中的最终目标"。我们的目标不是打造一家尽可能大的企业，而是一家尽可能少让我们操心的企业。这种模式不是把我们置身于信息流的浪尖，而是把我们拉出了信息流。

我第一次尝试的时候，并没有真正领悟这个道理。

2003 年，我在自己家里的办公室接受纪录片《在电视上》的采访。几乎每隔 20~30 秒，我们就会受到电子邮件提示音、短消息提示音和电话铃声的干扰。我不得不一一回复，因为十几个决定等着我来做。如果我不去确保火车整点运行，我不去灭火，就没有人去做这些事情了。

自那以后，我建立了一个新目标，6 个月以后，我再次接受后续采访，一个最显而易见的变化是：安静。我自下而上重新设计了企业运营模式，于是，我没有任何电话要接，也没有任何电子邮件要回复。

人们经常问起我公司的规模——我雇用了多少全职员工。回答是"一个"。大多数人听到这样的回答就兴味索然了。但是，如果有人这样问我：有多少人在为 BrainQUICKEN LLC 工作？答案就非常不一样了：200~300 人左右。我就是"机器中的幽灵"。

从广告——这里指印刷品广告——到我银行账户里的现金储蓄，包括一些样本成本，183 面的表格就是我的模式的简化版本。如果你通过前两章的指导发展了自己的产品，就很容易进入这样的模式。

在整个公司的运营图表中，我在哪个位置？不在任何一个位置。

我不是一个过路收费亭，任何事情都非得经此通过。我更像是一位站在路边的警官，如果需要可以随时介入。我可以通过外包助理的详细报告来确保公司的运营步骤正按计划进行。每个星期一，我检查上一星期的执行情况报告，每月的第一个星期一，检查上个月的执行情况报告。每月的报告中包括从电话服务中心接到的订单情况，便于我核对服务中心的账单并评估利润。或者，我只需每月的第一个星期和最后一个星期上网核查一下我的银行账户，看看有无异常的减少。如果发现情况，只需发一封电子邮件就可以解决问题。没有情况，我就回去继续练习剑术、画画、远足，或者继续当时正在做的其他任何事情。

自控过程的剖析
每周工作 4 小时的实际模式

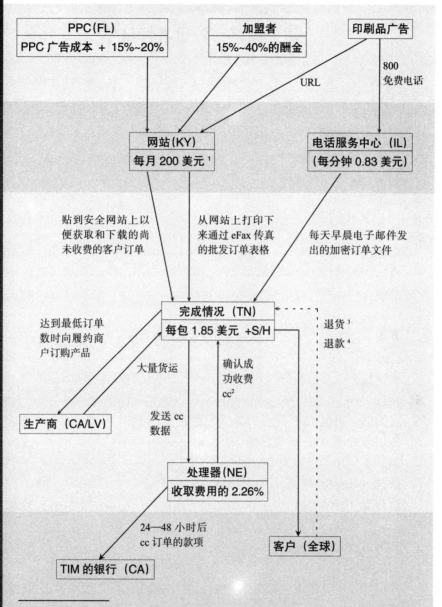

1. 该成本包括一名网站管理员 / 程序员的费用。
2. 信用卡支付失败情况也将转告给履约商，以便电话通知客户。
3. 履约商通过处理器把款项退给客户。
4. 退款指有争议的信用卡收费。

切分蛋糕：外包者经济学

每一个外包者都从利润蛋糕上瓜分了一部分。下面是一张产品损益总表，我们假定一个通过电话销售的 80 美元的产品，在创造该产品的过程中曾受到一名专家的帮助，为此，这名专家获得部分版税。我建议以比预计高的开支来计算利润率。将不可预料的成本和各项杂费，比如每月报告的费用等，包括在内。

收入

产品销售 ………………………………………………… 80 美元

货运 / 处理 ……………………………………………… 12.95 美元

总收入 ……………………………………………… **92.95 美元**

开支

产品制造 ………………………………………………… 10 美元

电话服务中心（每分钟 0.83 美元 × 平均电话时间 4 分钟）…… 3.32 美元

货运 ……………………………………………………… 5.8 美元

履约商（每包 1.85 美元 +0.5 美元的盒子 / 包装）………… 2.35 美元

信用卡处理（92.95 美元的 2.75%）…………………… 2.56 美元

退货 + 信用卡支付失败（92.95 美元的 6%）……………… 5.58 美元

版税（批发价 48 美元 [80 美元 × 0.6] 的 5%）………… 2.4 美元

总开支 ……………………………………………… **32.01 美元**

利润（收入减开支） ……………………………… **60.94 美元**

如何计算广告成本？如果在 PPC 上做 1000 美元广告能销售出 50 件产品，那么我的每次订单广告成本就是 20 美元。这样，实际每件产品的利润就是 40.94 美元。

把自己从交易过程中解放出来：时间，方法

系统就是解决办法。

——美国电话电报公司（AT&T，
美国最大的移动运营商，具有百年历史的电信巨人）

1 83 页这份图表就是自行运转系统的大致设计蓝图了。可能会有一些不同——或多或少——但是主要原则是一致的：

1. 与专职于某项功能的外包公司签定合同，而不要找自由职业者，这样如果有人被解雇、辞职或者无法工作时，你可以找人替换而不用影响自己的生意。雇用能够提供详细报告同时必要时又可互相替代的团队工作者。
2. 确定所有的外包工作者愿意相互沟通来解决问题，给他们书面授权，让他们自己能够做出大多数非关键性的决定而不是首先来打扰你（我从 100 美元不到的授权开始，两个月后就达到 400 美元的授权）。

你该如何做？我们来看一看企业家最容易在哪里失去前进动力并永久止步，这很有帮助。

大多数企业家都尽可能从成本最低的途径开始，步步为营，亲历亲为，小规模地运营起步。这不是问题。事实上，这是很有必要的，此后企业家才会清楚如何训练外包工作者。问题是，这批企业家不知道该在什么时候用什么办法使自己或自己的家庭小作坊更上一层楼。

"更上一层楼"，我指的是每周处理 10000 个订单就和每周处理 10 个订单一样容易的一种商业结构。要做到这一点，就得尽可能缩小你本人做决策的责任，从而达到时间自由的目标，也就是在不改变工作时间长短的前提下搭建使收入翻两倍或三倍的平台。

给本章附录部分列出的公司打电话，了解他们的成本情况。我以发送产品的件数为分段标准，请你根据下面每一阶段的升级模式来做计划和预算：

阶段 I：总发货产品为 0~50 件

你亲自做。把自己的电话号码登在网站上，回答一般的问题和订货要求——在开始的时候这非常重要——通过接听客户电话来决定此后网上常见问题解答中的问题。这份常见问题也是用来培训电话接线员和写作销售资料的主要材料。

PPC、非网络广告、网页是否不够清晰或者令人误解，以至于吸引的都是不合适的或者耗时的客户？如果是这样，根据常见问题对它们做出修改，把产品的益处（包括产品不具备的功效和性能）表达得更清楚。

回复所有的电子邮件，把你的回复邮件都存在一个名为"客户服务问题"的文件夹里。并把回复邮件抄送给自己，将客户问题的本质按主题分类，以便将来做索引。亲自包装并且发送产品，从而选定最便宜的包装和发送途径。到当地较小的银行（比大银行容易通过）开设一个商业账户，为此后外包业务方面的信用卡支付处理提供便利。

阶段 II：每周发货产品 > 10 件

在网站上增加详尽的常见问题解答，陆续添加接收到的问题的答案。在电话黄页簿的"履约服务"或者"寄送服务"一栏下寻找当地的履约商（fulfillment companies）。如果在黄页簿或者 www.mfsanet.com 网站上都找不到，就给当地广告印刷厂打电话，询问他们有没有推荐意见。将范围缩小到不要求支付初始设置费用和每月收费最低的履约商（通常是规模最小的）。如果找不到这种条件的履约商，就要求对方在这两方面都给出至少 50% 的折扣，然后要求将初始设置费用作为货运和其他费用的预付款。

将候选履约商的范围进一步缩小，只剩那些能够回复客户的电子邮件（理想的方式）订货或者电话订货的履约商。他们将复制粘贴你"客户服务问题"文件夹里的电子邮件并回复客户，尤其是那些订货和退款的客户。[50]

为了减少或者去除各种杂项费用，你可以向对方说明你这是刚刚创业的公司，预算非常少。并且告诉对方你需要现金做广告来争取更多的发货。如果有必要，可以提及你正在考虑的其他几家他的对手公司，让他们自己陷入互相竞争，以一家公司的较低报价或者让步条件促使另一家公司给出更大的折扣和额外优惠条件。

在做出最终选择之前，要求对方至少提供三名客户以兹证明，可以引导这三名客户说出该履约商的缺点："我知道他们很好，但是每一个人都有缺点。如果一定要说出您对他们不满意的地方或者他们还没有做到最好的地方，您认为是哪里？您能向我描述一下你们之间发生过的争执或者不同意见吗？我明白，与任何一家公司合作都有可能发生不同意见，这没什么大不了的，当然我可以为我们之间的交谈保密。"

要求对方答应"30天内付清款项"的条件——交货30天内付款——在及时付清对方第一个月服务的款项之后再提出这个要求。和需要生意的小公司来谈判这些条件要容易许多。确定好履约商后，让你的合约制造商把产品直接发货到履约商处，并且把履约商的电子邮件（你可以使用自己域名的一个电子邮件地址，然后再转发）或者电话号码放到网上"致谢"页面，回答订单状况的相关问题。

阶段 III：每周发货产品 >20 件

现在你有了现金流，可以支付设置费用和更大更成熟的外包工作者所要求的每月最低额。给"端到端"履约商打电话，他们全权负责——包括订单状况、退货和退款。与对方商谈成本问题，请对方提供在传递文件和解决问题方面曾

50．在 www.fourhourworkweek.com 网站上可以找到以履约为目的的电子邮件回复样本。

有过合作的电话服务中心和信用卡处理商名单作为候选。不要使用陌生人，那会带来程序成本——错误百出，代价昂贵。

　　首先在你的信用卡处理商那儿建立账户，因为你将会需要自己的商业账户。这非常重要，因为履约商只能处理退款事宜和拒绝交易的信用卡，其他业务也都是外包给信用卡处理商来处理。

　　从新的履约商推荐的名单中挑选一家电话服务中心并与之建立联系。电话中心通常会为你提供免费拨打电话号码，而不用再去购买。看一下前面测试中的网上订购和电话订购的比例，仔细考虑一下电话订购带来的额外收入是否值得费这么多力气去做。通常你会发现其实并不值得。在没有其他选择的情况下，那些打电话来订购产品的人也会选择网上订购的。

　　在和电话服务中心签定合同之前，找一些他们代替目前客户接听的 800 号码，试着打几个电话，问几个和产品相关的比较难的问题，评估一下他们的销售能力。每个电话号码至少打三次（上午、下午和晚上），并且注意一个关键的因素：等待接听的时间。电话应该在电话铃响过三到四声之内被接听，如果进入等待队列，等的时间则应越短越好。超过 15 秒钟未接听会使太多的电话订购客户中途放弃，也就浪费了你付出的广告费。

不决策的艺术：更少的选择 = 更多的收入

　　公司做错了决策或者做了过多的决策，都可能导致公司倒闭。后者还会使事情更为复杂。

　　　　——迈克·梅普斯（Mike Maples，Motive Communications 公司［挂牌上市达

　　　　　2 亿 6 千万美元市值］创始人之一，Tivoli 公司［以 7 亿 5 千万美元

　　　　　卖给IBM 公司］的创始董事，以及 Digg.com 等公司的投资人）

约瑟夫·雪格曼是十几个直接反应营销和零售成功案例背后的市场天才，这些成功的案例包括 BluBlocker 太阳镜现象。他第一次出现在 QVC（全球最大的电视与网络的百货零售商）上时，就在 15 分钟之内卖出了 20000 副 BluBlocker 太阳镜。在取得电视上的一系列成功之前，约瑟夫主要做印刷媒体，他赚了几百万并且打造了一个叫做"JS&A 集团"的帝国。他曾经受聘为一家手表制造商设计系列手表广告。制造商想在广告中展示九只不同的手表，而约瑟夫建议只重点展示一只手表。客户坚持己见，于是约瑟夫主动提出设计两种不同的广告，在同一期《华尔街日报》上测试反响。结果呢？一只手表的广告卖出的数量与九只手表的广告卖出的数量之比为 6:1。[51]

关于一直处于畅销车榜第一位的 T 型福特车，[52] 亨利·福特曾说："客户想要任何颜色都可以，只要是黑色的。"他知道很多商业人士似乎已经遗忘了一个事实：服务客户（"客户服务"）并不是要成为客户的私人管家去满足他们的每一次奇想和欲望。客户服务是以对方可以接受的价格提供优质的产品，并且以尽可能快捷的服务方式解决相关问题（包装丢失、换货、退款等）。就是这样。

提供给客户的选择越多，带来的无法选择也就越多，收到的订单也就越少——没有好处，只有坏处。另外，提供给客户的选择越多，为自己带来的生产压力和客户服务的负担也越重。

"不决策"的艺术指的是把提供给客户的选择数量最小化。下面是我和其他新贵们用来降低 20%~80% 的服务压力的一些办法：

1. 提供一到两个购买的选择（比如"基本的"和"额外的"）就够了。

2. 不要提供多种货运方式的选择。提供一个比较快捷的途径，并且收取费用。

3. 不要提供连夜或者加急的货运方式（可以向能够提供这种方式的转销商

---

51. 约瑟夫·雪格曼（Joseph Sugarman），《书面语言的广告奥秘》（*Advertising Secrets of the Written Word*），DelStar 图书出版，1998 年。

52. 取决于如何计算（销售数量还是总销售额），有人认为最早的大众甲壳虫是纪录的保持者。

提及这点），因为这些货运方式反而会导致上百个紧急电话。

4. 完全取消电话订购，引导潜在客户去网上订购。这听上去令人费解，不过当你知道 Amazon.com 如何将网络作为最重要的节约成本手段来生存和发展壮大的成功事例后，就会明白了。

5. 不要提供国际货运。每个国际货运订单要花 10 分钟填写海关表格，还得处理客户的抱怨，同时产品的成本还因为关税的原因而增加 20% ~100%，这种选择简直是自讨苦吃。这种选择也和利润密切相关。

这些原则中，有一些暗示了可能节省时间的最大办法：筛选客户。

并不是所有客户都是平等的

当你达到阶段Ⅲ并且拥有一定现金流时，应该重新评估你的客户并进一步精简。任何事情都有好和差两种：好的食物，差的食物；好的电影，差的电影；好的性爱，差的性爱；当然就也有好的客户和差的客户。

从现在起，你要和前者做生意，而避开后者。我建议将客户视为平等的交易伙伴，而不要总把他们当成需要不惜一切代价去满足他们愿望而且永远正确的上帝。如果你以一个合理的价格提供一个非常不错的产品，那么，这就是一个平等的交易，而不是下属（你）和上司（客户）之间的乞求过程。要体现职业精神，但永远不要向不讲道理的人屈服。

我建议，与其和那些麻烦的客户打交道，不如一开始就阻止他们订购你的产品。

我知道许多新贵都不接受西联汇款的支付方式或者支票付款方式。可能有人会说："这可是放弃了 10%~15% 的销售份额啊！"新贵们会回答说："是的，我放弃了，但我同时也避开了占据 40% 开支和吞噬 40% 时间的 10%~15% 的客户。"这是 80/20 法则的典型体现。

那些在订购之前就花费最少要求却最多的客户，在购买产品之后仍然会继续这种风格。你应把他们从客户群中排除出去，这不仅是一个好的生活方式决策，也是一个好的财政决策。低利润和高维护成本的客户喜欢打电话，并且占用 30 分钟问一些不重要的或者在网站上已经有解答的问题，浪费掉——以我的公司为例——每次 30 分钟的电话成本 24.9 美元（30× 0.83 美元），先就将从他们身上赚的一小部分钱给用掉了。

而那些花最多钱的客户却是抱怨最少的。除了像我们一样采用质优价高的定价策略，以下还有几种吸引高利润和低维护成本客户的方法：

1. 不要接受西联汇款的支付方式，也不接受支票或者汇票形式。

2. 把最低批发数量提高到 12~100 件，向对方要求商业纳税号，以验证对方是真正的商业人士而不是心急火燎的新手。你的公司不是他人学习成长的商务学校。

3. 要求所有潜在的转销商都在网上填写在线订购表格，打印后传真给你。永远不要为大额订单而重新商讨定价或者同意降价。可以解释说，过去这方面发生过问题，所以现在"公司有这样的政策"。

4. 通过销售低价位的产品（MRI 公司的 NO_2 产品的预订方式）而不是提供免费产品，来获取客户的联系信息以便后续销售。提供免费产品容易吸引那些耗时的客户，将钱花在那些不会回报的人身上。

5. 提供"你输我赢"的质量保证（见下一节），而不是免费试用。

6. 不要接受邮件诈骗事件频发国家的订单。

你输我赢质量保证——
如何把每样东西卖给每个人

> 想得到品质保证吗？先买一个烤箱吧。
>
> ——克林特·伊斯特伍德（Clint Eastwood，1930—，
> 国际影坛男性偶像，被誉为"城市牛仔"）

3 0 天内退款的品质保证已经过时了。因为它不再有往日的吸引力。如果产品不能使用，我已经被骗了，却还要花一个下午去邮局退货。我所花费的，无论是时间还是实际邮资，都比我买这个产品的钱还要多。排除风险是不够的。

于是我们进入了被忽视的你输我赢质量保证和逆转风险的领域。新贵们把大多数人眼中的售后服务——质量保证——作为一项基础的销售手段。

新贵们努力让客户觉得，即使买卖失败客户也有利可得。因为你输我赢质量保证不仅消除了客户的风险，而且把风险转移给了卖方——也让公司陷入财务风险之中，而卖方会尽全力不让此事发生的。

下面是一些实例。

30 分钟之内送货，否则免单！
多米诺披萨就是用这条质量保证来开发市场的。

我们相信您会喜欢 CIALIS，如果不喜欢，我们为您的选择埋单。
"CIALIS® 承诺计划"提供了一个 CIALIS 的免费样本，承诺如果达不到广告宣传的效果，就为你选择的竞争产品埋单。

如果您的车被盗，我们为您支付 500 美元的保险自付额。

这个质量保证帮助 THE CLUB 成为世界第一大汽车防盗设备产品。

我们提供 110%的保证，第一次服用后 60 分钟内见效。

这是 BodyQUICK 产品的质量保证，是运动饮食相关产品中的第一个质量保证。我主动提出，如果第一次服用之后 60 分钟内没有效果，不仅会退还产品的所有款额，还将再寄送产品价格 10%的支票。

你输我赢质量保证看上去是一次巨大的冒险，尤其是当有客户滥用这种质量保证以谋取利益时，比如前面 BodyQUICK 的例子，但它并不是冒险……如果你的产品确实达到了质量标准。大多数人都是诚实的。

我们来看一些真实的数据。

即使有 60 天的退货期限 [53]（部分可能是因为这个原因），BodyQUICK 的退货率还是少于 3%，而这个行业通用的 30 天 100%退款质量保证的平均退货率达 12%~15%。在引入 110%退款担保之后，BodyQUICK 的销售量 4 周内增加了 300%以上，而且退货情况全面下降。

约翰娜采用了这个你输我赢质量保证，提出"两周之内提高40%的运动灵活性，否则全额退款（包括货运费），而且不用退还 20 分钟的 DVD 赠品。"

舍伍德也有了自己的质量保证："如果这些水手衫不是您所穿过的最舒适的水手衫，您不仅可以退货，还可以得到货价 2 倍的退款。每件水手衫都提供终身质量保证——如果穿旧了，可以把它寄回，我们会为您免费换一件。"

两个人的销售量都在最初两个月内增加了 200%以上。约翰娜的退货率没

---

53. 为了客户利益同时也为了克服普遍的惰性（也包括我），需要给客户提供尽可能多的时间来评估或者忘记这个产品。Ginsu 刀具就提供了长达 50 年的质量保证。你能提供 60 天、90 天或者 365 天的质量保证吗？首先测试一下提供 30 天和 60 天质量保证时的平均退货率（为了做好开支和现金流的预算），然后延长质保期限。

变，而舍伍德的退货率增加了一半，从 2%增加到 3%。灾难吗？远远不是。两个月前，他售出 50 件水手衫，有一件退货需 100%退款（50 件× 100 美元）－100 美元＝4900 美元的收入）。两个月后，他卖出 200 件水手衫，有 6 件退货需 200%退款〔（200 件× 100 美元）－（6 件× 200 美元）＝18800 美元的收入〕。我会选择后者。

你输我赢质量保证是一种全新的双赢策略。勇于承担责任，你就可以获取应得的回报。

小型蓝筹公司：
如何在 45 分钟之内使公司看起来像财富 500 强

你是不是厌倦了自己皮包骨的形象？我保证，几天之内你就会有新的肌肉！
——查尔斯·阿特拉斯（Charles Atlas，1892—1972，美国最著名的健美运动员，通过连环画册传授健身课程，销售额达 3 千万美元以上）

如果与大规模的转销商或者潜在合伙人接触，公司的小规模就会是一个障碍。这种歧视既没有理由也无法忽视。幸运的是，几个简单步骤就可以将你公司的形象在 45 分钟之内得到神奇的提升，显示出未来财富 500 强的势头，让你的缪斯从咖啡店延伸到会议室。

1. 不要做 CEO 或者创始人。

担任 CEO 或者创始人暗示出这是一家刚刚创业的新公司。你可以给自己一个中层头衔，比如"副董事长"、"主管"，或者根据具体场合安排类似的头衔（销售主任、企业发展主任等）。为便于谈判周旋，也要记住，最好不要以最终决策者的形象出现。

2. 在公司相关网站上公布多个电子邮件地址和电话联系方式。

在网页的"联系我们"一栏中为不同部门公布不同的电子邮件地址，比如"人力资源部"、"销售部"、"问询部"、"批发销售部"、"媒体 / 公共关系部"、"投资部"、"网页管理部"、"订单处理部"等等。刚开始，这些邮件都会转发至你的电子邮件信箱。进入阶段 III 时，大多数邮件将直接转发到相对应的外包工作者那里。多个免费拨打电话号码也以同样的方式处理。

3. 设置一个互动式语音应答服务的远程接线员。

只要花 30 美元不到就可以让自己公司听上去像一个蓝筹股公司。10 分钟不到的时间，你就可以在一些网站上，比如宣称拥有 Reebok 和 Kellog 客户的 www.angel.com 网站上，设立一个 800 免费电话，通过语音提示设置来回答来电的客户："谢谢您给（公司名称）的来电。请报出您想找的部门名称或者人员姓名，或者保持电话连通状态听取下面的选择提示。"

如果对方报出你的姓名或者选择了相应的部门，来电就会被转接到你预置的电话号码或者相应的外包工作者的电话号码上——在等待转接的铃声之后，一切都顺利解决了。

4. 不要提供家庭地址。

不要使用你的家庭地址，否则会带来不少来访者。在确定一个能处理支票和现金订购业务的"端到端"履约商之前——如果你决定自己来接收支票，那么使用一个邮政信箱，但地址只留邮局的街道地址，不要写"邮政信箱"。这样"邮政信箱XXX，未知地址，US 11936"就变成了"市区大道XXX号XXX单元，US11936"。

展示一个精心设计的职业形象给对方。公司给人感觉的规模大小很重要。

挑战训练

在公众面前放松自己（2天）

这是最后一次挑战训练，之后的章节将解决令大多数办公室一族感觉最不舒适的转折点：进行远程工作协议的谈判。今天这个挑战应该很有趣，展示出——非常清楚地——一个事实，即大多数所遵循的条条框框都只不过是社会习俗而已。无论是创造理想的生活方式，还是自娱自乐让人疑惑，都不会有任何法律法规进行约束。

所以，要在公众面前放松自己。听上去很简单，不是吗？我有一特点很出名，就是能放松自己博取朋友们一笑。实际上，不管你是男性还是女性，20岁还是60岁，蒙古人还是火星人，都应该这样。下面这种方法我称为"暂停休息"。

每天一次，连续两天在一个拥挤的公众场合找一个中心地方躺下来。午饭时间是个理想的时间。这个公共场合可以是拥挤的人行道、热闹的星巴克咖啡店内，或者一个热闹的酒吧里。这不需要什么技巧。只是躺下来，在地上安静地躺10秒钟，然后起身继续此前你在做的任何事情。我曾经在夜总会里这样做过，清出了一块跳霹雳舞的场地。不会有人回应你的可怜兮兮，除非你躺在地板上神经紧张让别人误会。

无须解释。如果事后（在你躺下的10秒钟里不太可能有人走过来询问）有人问起，只要回答："我只是想躺几秒钟。"你说得越少，这件事情就越有趣、越开心。刚开始两天，自己一个人这样做，之后则可以和一帮朋友一起躺下来。这是一种宣泄。

非理性地思考还不够。思考是被动的。要习惯非理性地行动。

附录：工具和方法

让自己看上去很显赫——虚拟接线员和互动式语音应答

○Angel（www.angel.com）（888-692-6435）

5 分钟就可以得到一个带有专业语音菜单（语音识别部门、分机等）的 800 电话号码。不可思议吧。

○Ring Central（www.ringcentral.com）（888-898-4591）

提供在线的免费拨打电话号码、电话过滤和转接、语音信箱、传真收发和信息提示。

CD/DVD 的复制、印刷和产品包装

○AVC 公司（www.avccorp.com）（310-533-5811）

○SF 视频（www.sfvideo.com）（800-545-5865）

当地履约商户（每周发货小于 20 件）

○邮寄履约服务协会（www.mfsanet.org）（800-333-6272）

"端到端"履约商户（每周发货大于 20 件，500 美元 + 初始设置费用）

○Motivational Fulfillment（www.mfpsinc.com）（909-517-2200）

曾幕后组织过 HBO、PBS、Comic Relief、Body by Jake 等公司或者产品的宣传。

○Moulton Fulfillment（www.moultonfulfillment.com）（818-997-1800）

拥有 200000 平方英尺的设备，能够提供实时在线的存货报告。

○National Fulfillment（www.nationalfulfillment.com）（800-449-0016）

位于田纳西州中部，可以在最短时间内将货物发往全国各地。

接受订单电话服务中心（按分钟计费）

这些电话服务中心以高效接受订单闻名。换言之，如果广告里列明了产品价格（固定报价），如果提供了免费的信息（引导客户兴趣），或者如果不需要能够应对异议的训练有素的销售人员，那么，这些电话服务中心都是不错的选择。

○West Teleservices（www.west.com）（800-232-0900）

世界范围内有 29000 个员工，每年处理亿万分钟电话。所有的大销售量和低售价的商家都使用它的服务。

○LiveOps（www.liveops.com）（800-411-4700）

这个以居家工作代表为特色的先锋服务网站通常能够提供每分钟更低的收费。

○Convergys（www.convergys.com）（888-284-9900）

达成销售的电话服务中心（按分钟计费或者从每笔交易中提成）

此类"电话服务中心"更像销售服务中心。操作员经过一定培训，是专业的"达成销售人员"，他们的惟一目标就是把来电者转变成购买者；这些电话中心负责回复那些"来电垂询信息 / 试用产品 / 样本产品"的广告，这些广告并没有固定价格（或者先使用再付款承诺）。这群人是我合作过的专业人员，但是注意他们的费用也更高。

○ InPulse（www.inpulseresponse.com）（800-841-9000）

提供管理宣传的任何服务，包括广告词撰写、咨询顾问和内部培训师等。声誉非常不错。

○ Protocol Marketing（www.protocolmarketing.com）（800-677-2001）

典型以销售为主的电话服务中心之一。我和他们合作多年。

○ Triton Technology（www.tritontechnology.com）（800-704-7538）

只按销售提成的电话服务中心，以惊人的达成销售的能力闻名（参见电影《开水房》[*Boiler Room*] 和亚历克·鲍德温在《拜金一族》[*Glengarry Glen Ross*]一片中的角色）。如果您的产品售价低于 100 美元，就不要接受他们的服务。

信用卡处理商（经由你的银行的商业账户）

这些公司不仅在处理信用卡业务方面非常专业，而且能够代表您和履约商户沟通，把你从交易过程中间解放出来。

○ TransFirst 支付处理（www.transfirst.com）（800-745-2659）

○ Chase Paymentech（www.paymentech.com）（800-824-4313）

○ Trust Commerce（www.trustcommerce.com）（949-387-3747）

加盟项目软件

○ 我的加盟项目（www.myaffiliateprogram.com）（888-224-6565）

媒体折扣购买代理

如果你按杂志、电台或者电视频道的报价表付账——首先报出的是"零售"价格——你永远赚不了钱。省下那些麻烦和开支——考虑雇用一家广告代理商，他们可以帮助你谈判拿到特定媒体的高达 90% 的折扣价格。

○ 曼哈顿媒体（印刷媒体）（www.manhmedia.com）（212-808-4077）

任务完成速度很快的非常不错的代理商，从一开始我就一直和他们合作。

○ Novus Media（印刷媒体）（www.novusprintmedia.com）（612-874-3000）

和 1400 多家杂志和报纸都有合作关系，提供报价表价格平均 80% 的折扣。它的客户包括 Sharper Image 和 Office Depot。

○Mercury Media（电视媒体）（www.mercurymedia.com）

美国最大的私营 DR 媒体代理商，专营电视业务，但也能处理电台和印刷媒体的业务。他们提供投资回报率的全面追踪和报告服务。

○RevShare（电视媒体）（www.revshare.com）（310-451-2900）

"为结果买单，而不是时间"是他们的座右铭。RevShare 能够让你根据不同电视台分配订单利润，而不用根据提前花费的时间来支付。这在电视界和其它非网络媒体中被称为"每次询价"（per-inquiry）或者"PI"。

○Marketing Architects（电台媒体）（www.marketingarchitects.com）（800-700-7726）

电台媒体 DR 的领军者，但是价格有点昂贵。几乎所有最成功的 DR 产品——卡尔顿房地产的非现金销售策略和安东尼·罗宾等——都与它合作。

○Radio Direct Response（电台媒体）（www.radiodirect.com）（610-892-7300）

马克·里普斯基打造了一家伟大的公司，它的客户有小规模的直销商，也有旅游卫视和富国银行。

在线市场研究公司（PPC 宣传管理等）

从小规模开始，寻找当地助手：

○SEMPO（www.sempo.org）（781-876-8866）

很不错的中等规模公司：

○Clicks 2 Customers（www.clicks2customers.com）

○Working Planet（www.workingplanet.com）（401-709-3123）

非常有能力的专业者——以几千美元就可以进行小规模的宣传活动：

○Marketing Experiments（www.marketingexperiments.com）（这是我的工作团队）

○Did It（www.did-it.com）（800-932-7761）

○Pepper Jam Search（www.pepperjamsearch.com）（877-796-5700）

○iProspect（www.iprospect.com）（617-923-7000）

全服务电视广告制作人

这些公司制作过 Oreck Direct, Nutrisystem, NordicTrack 和 Hooked on Phonics 等很多家庭品牌。第一个网站有非常不错的 DRTV 术语表，两个网站都提供了非常棒的资源。只接受短片广告预算在 15000 美元以上，或者长片电视广告的预算在 50000 美元以上的生意。

○Hawthorne Direct（www.hawthornedirect.com）（641-472-3800）

○Script-to-Screen（www.scripttoscreen.com）（714-558-3971）

零售和国际产品销售

想把产品放到沃尔玛、好市多、Nordstrom 或者日本主要大型百货商店的货架上吗？有时候，请一些有关系的专家帮忙就能达成这一愿望。

○BJ Direct（国际）（www.bjgd.com）（949-753-1111）

名人经纪人

想找一位名人帮助促销产品或者做产品的形象代言人吗？如果思路正确的话，可以比你想像的花费要少得多。我知道美国全国棒球协会和其最佳代言人之间的一桩服饰代言交易只有每年 20000 美元。下面是一些可以合作的经纪人。

○Celeb Brokers（www.celebbrokers.com）（310-268-1476）

董事长杰克·金是把我引入这个神奇世界的第一个人。他非常了解这一行业。

○名人代言网（www.celebrityendorsement.com）（818-225-7090）

寻找名人

○联系名人（www.contactanycelebrity.com）

完全有可能自己来找，我就做过许多次。在线目录及其高效的工作人员将帮助你联系上世界上任何一位名人。

第四步：L——解放

Step IV：L is for Liberation

自由状态下犯错，远比戴着枷锁做正确的事情要好得多。

——托马斯·亨利·赫胥黎（Thomas H. Huxley，1825—1895，

英国生物学家，作家，有"达尔文的坚定追随者"之称）

75%

(12)

"失踪"

如何逃离办公室

每天勤勤恳恳工作 8 小时，最终可能成为一个每天工作 12 小时的老板。

——罗伯特·弗罗斯特（Robert Frost, 1874—1963,
美国诗人，四次普利策奖获得者）

在这条路上，只有第一步最重要。

——维安尼（St. Jean-Baptiste-Marie Vianney, 1786—1859,
天主教圣徒）

引子：加利福尼亚，帕罗奥多

"**我**们不会为那些电话埋单。"

"我并没有要求您这样做。"

沉默。接着是点点头，笑一笑，然后老板带着狡黠的微笑答应了：

"好的，那么——好吧。"

于是，迫不及待地离开。44 岁的戴夫·卡马里罗工作了一辈子，终于恍然大悟，开始了他的第二个人生。

他没有遭到解雇，也没有受到批评。他的老板似乎对这种要求没有什么意见。当然，戴夫在工作上忠于职守，也没有耽误会见客户，但是——他刚刚在中国呆了 30 天，没有一个人知道这件事。

"这连我想像中的一半难度都没有。"

戴夫是惠普公司 10000 多名员工中的一员，而且——令人费解的是——他非常喜欢这份工作。他根本不打算创立自己的公司，过去 7 年里，他为 45 个州和 22 个国家的客户提供技术支持。但是，6 个月前，才遇到一个小问题。

她——他的女朋友，身高 5 英尺 2 英寸，体重 110 磅。

难道他像其他大多数男人一样害怕承诺，害怕不能再穿着蜘蛛侠服装在家里跑来跑去，或者无法放弃所有自尊男人的最后避难所——电子游戏吗？不，他已经过了那样的年纪了。事实上，戴夫做好了一切准备，他准备提出那个重要的问题了。只是他的假期不够，而他的女朋友不住在这个城市。她离这儿非常非常远。他们隔着 5913 英里的距离。

去中国深圳会见客户的时候，他遇见了她。现在，是见她父母的时候了，可是，这真是个麻烦事。

戴夫最近才开始在家里接听客户要求技术支持的电话，而家，不正是心的所在吗？买了一张飞机票和一只 T-Mobile GSM 三频手机后，他飞在太平洋上方开始第一个 7 天试验。他横跨了 12 个时区前来求婚，而她答应了，真是最聪明的美国人。

第二次实地考察是一次 30 天的中国家庭和中国食品之旅（猪头，谁吃过这个?），最终 ShumaiWu 变成了 Shumai Camarillo（卡马里罗太太）。而在帕罗奥多，惠普公司依旧在拓展其全球商业贸易，根本就不知道或者也不在乎戴夫这个人在哪里。甚至他把所有的来电都转接到他新婚妻子的手机上，世界仍然没有变化。

现在，怀着最好的期待也做好了最坏的准备，戴夫回到美国，他得到了童子军最高荣誉——标志自由移动的鹰图徽章。真的，未来似乎可以变通。他决定，从此以后每个夏天在中国呆两个月，然后到澳大利亚和欧洲，把曾经失去的时间补回来，而且这一切都是在老板的许可之下。

挣脱束缚的关键其实很简单——戴夫要求的是宽恕而不是许可。

"我人生 30 年都没有旅行过——所以为什么不去呢？"

…

这正是每个人都应该问自己的问题——为什么不呢？

从世袭贵族到漂泊者

住城堡、打宽领带、牵着脾气暴躁的小哈叭狗——旧贵族就是有着这些鲜明特征的在某地颇有势力的上流阶层。楠塔基特岛的 Schwarzes 酒店和夏洛特维尔市的 McDonnells 酒吧。哦。汉普顿的夏天如此如此如此地富有 1990 年代的气息。

评判标准正在发生变化。固守在一个地方的生活方式将成为中产阶级的定义新标准。而新贵正由一种看不见的力量——并非简单的金钱——下定义：自由的移动。这种飞来飞去的生活方式并不只是属于公司老板或者自由职业人。普通员工也可以实现。[54]

员工不仅能够实现这种生活方式，而且越来越多的公司也希望他们的员工能够实现这种生活方式。全球消费电子零售业的巨头百思买，正将几千名员工从明尼苏达州的公司总部送回家办公，并且宣称，这样做不仅降低了成本，而且带来了 10%~20% 的销售增长。新的原则是：想在什么时候，想在什么地点工作都可以，只要完成工作就行。

在日本，一个每天朝九晚五埋头苦干的三点一线的"机器人"被称为 sarari-man——工薪族，最近几年又出现了一个新词：datsu-sarasuru，即：非（datsu）工薪阶层（sara）的生活模式。

---

54. 如果你是一位企业家，不要跳过这一章。远程工作工具和方法的介绍对解决难题是非常必要的。

现在轮到你来学习脱 datsu-sara 之舞了。[55]

向老板要啤酒喝：
"十月啤酒节"案例研究

为了得到解除枷锁的合适筹码，我们要做两件事情：让对方明白远程工作的商业益处；让对方明白拒绝这样的请求代价太大或者太无情。还记得舍伍德吗？

他的法国水手衫开始进入正常的销售轨道，而他一直渴望环游世界。现在他有了足够多的钱，但是，他需要先从办公室的日常管理工作中脱身，然后才能运用"精简"步骤中所有解放时间的手段，去实现环游的梦想。

自从精简掉 90% 的耗时工作和干扰事务之后，身为一名机械工程师的舍伍德只用一半的时间就可以完成过去两倍的设计工作。他的上司注意到他在工作表现上的量的飞跃，他对公司的贡献越多，他的价值就更大，公司也更需要他，就意味着谈判时拥有的筹码越多。同时，舍伍德还对部分工作成效作了适当的保留，这样在远程工作的尝试阶段，他可以强调自己成效有了突然的提高。

自从精简了大多数会议和亲自参加的讨论后，他已经自然地把 80% 与老板和同事间的联系渐渐转为通过电子邮件联系，另外 20% 则通过电话联系。不仅如此，他还通过使用阻止干扰的方法去除不重要的和重复的电子邮件，从而使得邮件的处理量减半。做了这些准备之后，远程工作的提议就显得不那么突兀了，或者即使从管理者的角度来说觉得有点突兀，也能够被接受。随着受到的束缚越来越少，舍伍德开始全力推进自己的计划和工作模式。

舍伍德为逃离计划制订了 5 个步骤，从公司业务淡季的 7 月 12 日开始，持

---

55. 尽管女性工作者常被称为"OL（Office Lady）"——办公室女士，这个词在日本也可用于全部女性。

续了两个月，最终以德国慕尼黑十月啤酒节之旅结束，这次持续两周的十月啤酒节之旅是一次最终测试，之后，将是更大型和更大胆的漫游计划。

第一步：增加投资

首先，在 7 月 12 日，他和老板谈及员工的额外培训。他提议公司资助他参加一个为期 4 周的行业设计培训班，以提高他服务客户的能力。当然，他没有忘记提到这将给老板和公司带来的益处（即，他将减少部门内磨和沟通的时间和精力，同时增加客户满意度并增加效益）。舍伍德希望公司能在他身上做尽可能多的投资，这样，如果他离开公司，公司的损失就会很大。

第二步：证明不在办公室的成效更高

其次，在 7 月 18 日和 7 月 19 日，即谈话后第二周的星期二和星期三，为了展示远程工作成效，他打电话请了病假。[56] 他选择在周二和周三请病假有两个原因：一，这样不会让人误以为他只是为了凑 3 天周末时间而谎报病情；二，趁机测试自己在工作日脱离社会生活的生存能力。他努力使这两天的工作成效都翻倍，在给老板的电子邮件中有意透露出这种成效，并对这两天完成的工作做了量化纪录，留在将来谈判时作为证据。因为舍伍德使用的昂贵的 CAD 软件只能授权在办公室的台式机上使用，所以他安装了一个免费试用期内的 GoToMyPC 远程访问软件，这样他在家就可以直接操控办公室里的电脑。

第三步：将公司获益量化

第三，舍伍德制作了一份重点突出简明扼要的表格来表明自己在离开办公室的时间里完成了多少工作量。他知道，必须让老板明白，远程工作是一个不错的公司运营模式而不是个人福利。量化的结果显示，他每天比以前多完成 3

---

56. 任何需要呆在家的理由都可以（需要安装有线电视或者电话、修补房屋等等），如果你不想说谎，可以利用周末或两个假日的时间进行远程工作。

份设计，并节省了整整 3 个小时的工作时间。他解释说，这是因为他精简了人际磨合的时间并避开了办公室的干扰。

第四步：建议采用一个试验期，同时试验期可以随时取消

第四，经过前面几章的挑战训练，舍伍德非常自信地提出了自己的尝试性建议：为期两周，每周一天远程工作。他事先准备了腹稿，但是并没有如 PPT 演示般正式地提出，那样会给老板决策重大或不可逆转的感觉。[57]

7 月 27 日下午 3 点左右，舍伍德选择在病假后一周的相对不那么忙碌的周四，敲响了老板办公室的门，他们的对话如下（一些通用句型以楷体字显示，脚注解释了某些谈判观点）：

舍伍德：嗨，比尔。您现在有时间吗？

比尔：当然。什么事情？

舍伍德：我想让您听听最近我一直在思考的一个新想法。只要两分钟就够了。

比尔：好的。直说吧。

舍伍德：您知道，上周我生病了。简单地说吧，尽管当时身体感觉很不好，
　　　　但是我仍然决定在家继续工作。有意思的是，我以为做不了什么，但
　　　　那两天我比以前还多完成 3 件设计。另外，在没有反复来回的沟通、
　　　　办公室噪杂干扰的情况下，我还节省了 3 小时的工作时间。好吧，我
　　　　想说的是，我想能不能让我周一和周二在家办公，只是试一下，为期
　　　　两周。您随时可以终止这样的尝试，如果要见面，我会来公司的，我
　　　　只是想试两周，看看结果如何。我有 100% 的把握比过去提高一倍工作
　　　　成效。您觉得可以吗？

比尔：嗯……如果我们需要共同修改客户设计怎么办？

---

57. 复习一下"收入自控 II：测试缪斯"里的宠物狗策略。

舍伍德：我病假期间，用 GoToMyPc 软件操控办公室的电脑。我可以远程
　　　浏览所有的东西，而且我的手机 24 小时开机。那么……您觉得怎样？
　　　从下周一开始试试吧，看看我能做出多少成果来？[58]

比尔：嗯……好的，行。但是只是一次尝试。我 5 分钟后有个会议，马上
　　　要出发了，我们会尽快就这个问题再次交谈的。

舍伍德：太好了。谢谢您的时间。我会及时向您汇报成果的。一定会给您
　　　惊喜。

　　舍伍德根本没指望能得到一周两天远程工作的许诺。之所以要求两天，是
因为如果遭到老板拒绝，他还可以退后一步，只要求一天。为什么舍伍德不直
接要求一周五天的远程工作呢？有两个原因。第一，要求管理层立即接受一周
五天有点操之过急。我们只能在没有使对方担心惊恐的前提下得寸进尺。第二，
慢慢锻炼自己的远程工作能力——适当预演——在真正长时间远程工作之前，
这样可以降低危机出现和事情搞砸的可能性，不至于让远程工作的机会被收回。

第五步：延长远程工作时间

　　舍伍德努力使远程工作的时间成为他迄今为止工作成效最高的时间，甚至
尽可能地降低办公室的工作成效以突出前后对比的差异。他约老板在 8 月 15 日
见面并且向他汇报这一段时间的成果。他准备了一页重点突出简明扼要的陈述，
详细地表述了与过去办公室里的工作相比，目前他所增加的工作成效和内容。
他又一次提出每周 4 天为期两周的远程工作试验，需要时准备把 4 天降为 3 天。

舍伍德：事实比我想的要好。如果您看一下这些数字，可以看到明显的成
　　　效，而且我现在更加喜欢这份工作了。因此，如果您认为可以，我想

58．不要远离自己的目标主题。解决了对方提出的异议和担忧之后，立即直奔主题。

建议再让我尝试两周每周 4 天的远程工作方式。我想周五 [59] 来办公室
上班就可以为下周的工作做好充分的准备了，当然您认为哪一天来办
公室比较合适都行。

比尔：舍伍德，我真的不觉得我们可以这样尝试。

舍伍德：您最担心的是什么呢？[60]

比尔：我感到你正在离开公司。我的意思是，你准备离开公司吗？其次，
如果每一个人都想效仿怎么办？

舍伍德：有道理。是啊。[61] 首先，坦率地说，以前那些干扰、人际磨合沟
通、某些不可理喻的同事，曾经让我差点辞职，但是现在我对新的工
作日程感到非常满意。[62] 和过去相比，我做得更多，同时又感到轻松。
其次，除非一个人能够证明工作成效的增加，否则就不可能得到允许
远程工作的机会，我就是一个很好的例子。当然，如果他们也能够证
明，为什么不给他们一个尝试的机会呢？这样可以降低办公费用、增
加工作成效，同时又让员工开心。所以，您看呢？我们能否试两周，
我每周五过来处理办公室事务？我仍将以实践来证明，当然，您有权
在任何时候改变主意。

比尔：哦，你真是坚持不懈啊。好吧。我再给你一次机会，但是不要告诉
其他人。

舍伍德：一定。谢谢你，比尔。我非常感谢你的信任。我会尽快向你汇报的。

　　舍伍德继续以前的策略，在办公室里低效工作，在家中高效地工作。两周
之后他向老板汇报成效，在其后的两周里，他继续每周 4 天的远程工作模式，

---

59. 周五是出现在办公室的最好时间。人们比较轻松而且通常会提早下班。
60. 不要接受一个模糊的拒绝。让对方具体说明自己的担心，这样你才可以去攻克它。
61. 不要在对方拒绝之后立即跳起来反驳。承认老板的担心是合理的，以防大家出于自尊导致争论。
62. 注意这样的坦诚实际上是一个间接的威胁。它可以让老板在拒绝之前三思，能防止你输我赢式的最
终摊牌场面的出现。

直到 9 月 19 日的周二，他正要去国外走亲访友，[63] 于是要求老板同意一次为期两周的全程远程工作模式。舍伍德的团队正在进行一个项目，需要用到他的专业知识，他做好准备：如果这次老板拒绝他就辞职。他知道，就像人们喜欢在散市之前讨价还价一样，能否得到自己想要的通常主要取决于提出要求的时机，而不是提出要求的方式。尽管他希望最好不要辞职，但他水手衫的销售收入也已经足够帮助他实现十月啤酒节之旅及其他梦想了。

他的老板默许了，舍伍德也不用拿辞职来威胁了。那晚到家后，他就花 524 美元买了一张去慕尼黑参加十月啤酒节的机票，这些钱连他水手衫一周的销售收入都不到。

现在他尽可以用上所有节省时间的办法，把那些无关紧要的事情精简掉。一边喝着麦香啤酒，一边穿着皮短裤跳舞，舍伍德就能很好地把工作完成了，实现 80/20 法则之后他的公司状况更好，他自己也拥有了环游世界的自由时间。

但是，等一下……如果你的老板拒绝了呢？嗯……那老板就会将更多的工作交给你。如果上层管理者这么不明智，就用下一章的方法来教训他。

另一种选择：沙漏

还有一种新贵们称为"沙漏"的有效办法：先采取较长时间的缺席。如此命名是因为你需要首先进行长时间远程工作的可行性论证，然后才达成短期的远程工作协议，最后再进一步协商离开办公室的无限期远程工作模式。下面是采用此方法的步骤。

1. 利用一次事先的计划或者紧急情况（家庭事件、个人事务、搬家、修理房屋等等）的原因要求离开办公室一到二周。

---

63. 因此，老板不能打电话叫你回公司了。这次出国旅行的计划能否实现举足轻重。

2. 表示你知道自己不能停止工作，宁愿不度假也要工作。

3. 提议自己能够进行远程工作，必要时，主动提议如果相比平时工作成效有所降低，可以相应地降低远程工作时间（只是那段时间）的工资。

4. 允许老板一起来制订实施办法，这样他或她也就参与其中。

5. 把"不在"办公室的这两周变成你最有工作成效的两周。

6. 回到办公室之后向老板展示量化的工作成效，告诉他或她——没有所有的干扰、人际磨合沟通等——你的工作成效提高一倍。提出先尝试两周每周2天或者3天在家办公的模式。

7. 把这些远程工作的时间变得非常有成效。

8. 提出每周只在办公室呆1~2天。

9. 把那些在办公室的时间变成一周最低效的时间。

10. 提议实现真正的移动——取得老板认同。

问题与行动

最近，有人问我会不会解雇一名造成公司600000美元损失的员工。我回答说，不会，我会用这600000美元来培训他。

——托马斯·J·沃森（Thomas J. Watson，1874—1956，
IBM创始人，被称为"计算机之父"）

自由意味着责任。这也是为什么大多数人害怕它的原因。

——萧伯纳（George Bernard Shaw，1856—1950，
爱尔兰剧作家，诺贝尔文学奖获得者）

因为害怕放弃控制权，所以企业家会在自控阶段碰到最多的问题，而企业员工则因为害怕享有控制权，所以常在"解放"阶段受阻。下决心去抓住缰绳——你以后的人生就靠它了。

下面的问题和行动会帮你摆脱建立在出勤率上的工作模式，获得建立在成效上的自由。

1. **如果你心脏病发作，假设你的老板对此深表同情，你该如何进行 4 周的远程工作？**

   如果障碍是你的工作并不适合远程工作，或者你估计老板可能会拒绝，提出以下问题：

   ○你做这项任务要达成什么目标——目的是什么？

   ○如果出于某个重要原因，你不得不采用其他方式来完成同样的任务，你会如何做？远程会议？视频会议？GoToMeeting，GoToMyPC，或者其他相关软件？

   ○你的老板为什么会拒绝远程工作方式？它对公司最明显的负面效应是什么？你如何防止这种负面效应的发生或者将损失最小化？

2. **设身处地从老板的角度想一想。基于你的工作历史纪录，你相信自己能离开办公室工作吗？**

   如果不能，重新阅读"精简"章节，提高自己的工作成效并且考虑一下"沙漏"的方法。

3. **培养自由环境下的工作成效。**

   在提出远程工作方式的尝试性建议之前，试试两个周六在公共咖啡屋工作 2~3 小时。如果你一直在体育馆里健身，也用两周时间试试在家里健身或者在体育馆以外的任何地方健身。这样的目的是让自己跳出一个单一的环境，确保将来有足够的在家工作的自律能力。

4. **量化目前的工作成效。**

    如果你已运用了 80/20 法则，设定了阻止干扰的原则，完成了基础准备工作，那么无论是客户服务、利润创造、页面制作，还是款项结收速度等各方面，如果将这些量化计算的话，你的工作成效都应该达到一个历史最高点。对此做好相关记录。

5. **先创造一个机会证明远程工作的成效，再要求得到宽松的政策。**

    这是测试你在办公室以外环境内的工作能力，并为你将来接受更少管理和监督积累谈判筹码。

6. **在建议之前练习应对"拒绝"的艺术。**

    去农贸市场练习谈价，要求得到免费的最好服务，要求服务恶劣的饭店赔偿，或者要求得到整个世界，当人们拒绝时，问他们以下这些有魔力的问题：

    "我需要做什么才能得到[理想的结果]?"

    "什么条件下您才能给我[理想的结果]?"

    "您能不能为我破例一次?"

    "我相信您以前一定也破过例，不是吗?"

    (如果最后两个问题的回答是没有，则问："为什么不呢?"如果回答是有，则问："为什么?")

7. **让老板开始习惯远程工作的方式——建议周一或者周五在家。**

    即使远程工作的成效略比平时低，但公司解雇你需要付出很大的代价时，你可以考虑这么做。

    如果老板拒绝了你的要求，你就该寻找一个新老板或者自己做老板了。

    这项工作永远不能将时间的自由带给你。如果决定彻底离开公司，就可以考虑让对方把自己逼上绝路——有技巧地被解雇并且利用中止工作或者失业度一次长假，这样比单纯的主动辞职更好。

8. **每一次成功尝试后延长尝试期限，直到最终实现完全远程工作或者理想的移动生活。**

不要低估公司对你的需要。认真工作然后要求得到自己想要的。如果一直得不到自己想要的，那就离开。世界很大，没有必要把大部分生命浪费在一个小空间里面。

无可救药
辞职

所有的行动都是有风险的，所以审慎不是为了避开危险（这是不可能的），而是为了评估风险和果断决策。可以因为野心而犯错，却不能因为懒惰而犯错。要培养自己勇敢行动的力量，而不是忍受折磨的力量。

——马基雅维里（Niccolò Machiavelli，1469—1527，意大利外交家、历史学家、戏剧家、哲学家，文艺复兴时期的巨人之一），《君主论》（*The Prince*）

引子：存在主义请求和辞职的完型填空

（拟稿：爱德·默里）

亲爱的　对方姓名　：

今天，当我正在为我的　宠物名　清洗的时候，我意识到一件非常　形容词　的事情：您是一位　副词　无情的　贬义名词　。

昨天晚上，在喝了七杯　最差的烈性酒名　连　政客人名　也脸红的时候，事实变得更清楚了：是他们，不是我。

当涉及到我生活里　自己最喜爱颜色　的人际关系时，我其实才是那个彻底　无助状态　的人，而且无法和这个　形容词　星球上任何人分享我内心最深处的　情绪种类　……因为他们都是　贬义形容词　的　灭绝动物名　。我

情感动词 他们每一个人，而且希望他们在 著名餐厅名 的开胃食物盘中吃到 副词 恶心的食物。

这种 形容词 发泄让我感觉 良好情绪 ，同时还有奇怪的孤独感。我不知该怎样和身边那些 一群动物名 朝夕相处？我已经厌倦了每天在 你的房屋某处 "哭泣"的同义词 ……也许将一把 蔬菜名 塞入我的 嘴巴等身体的洞孔 里可能会好些。当我看到我父母的 身体某部分 的衰败时，我的心都 动词 ……

今天我已经决定买一个 名词 ，可以像 比喻 一样用，还可以作为我困于其中的 咒骂语 奴役状态的 表永恒的形容词 标志……我和大多数 形容词 状态的 农场动物名 一样受到控制。我拼命地 表"阻止"的动词 自己不要采取 暴力行动动词 来报复我所有的同事……除了 某人姓名 。我一直想和他/她 动词 。我不想被 动词 。

如果真的有来生，请把我解救出来。

有些工作的确无可救药。

所谓改善，不过是在监狱门上安装精心设计的窗帘：有所进步但远远不能令人满意。在这一章里，"工作"指的是你自己经营的公司或者一份正常的上班工作。有一些建议只适用于上述一种情况，但是大多数建议都适用于两种情况。现在，我们开始了。

我曾经三次辞职，其余工作则通通以被解雇告终。遭到解雇，有时让人非常意外而且需要一段时间才能平复心情，但通常来说，这是上帝赐予的幸事：别人为你做了决定，你也就不会在错误的工作中度过余生。大多数人并没有那么幸运，他们不会遭受解雇，在他们30~40年的职业岁月里忍受着中庸，这是精神上的慢性自杀。

骄傲和惩罚

> 如果要玩这个游戏，一开始就要清楚三件事情：游戏规则、奖励与惩罚、结束时间。
>
> ——佚名

花费精力或消耗时间的事情，并不就是带来成效或者值得去做的事情。

因为 5 年、10 年或者 20 年之前的错误决策，而一直在承受后果的你会觉得，承认决策错误的事实令人难堪，但这并不意味着你现在不能做正确的决策。如果你的骄傲阻止了你的步伐，那么从现在开始，5 年、10 年或者 20 年之后，你会因为同样的原因厌恶生活。我也非常讨厌做错事、让我的公司陷入一潭死水，直到最后被迫改变方向或者直面惨状——我知道这样的改变有多困难。

现在我们都在同一个竞技场上：骄傲是愚蠢的。

对成功者而言，能够抛弃无用的东西是必须具备的能力。事先没有思考清楚就去做某项工程或工作，会使得本来有益的事情变成浪费精力，这就如同预先不设定赌注的上限就进赌场一样：危险又愚蠢。

"但是，你不明白我的处境。非常复杂！"真的是这样吗？不要把复杂和困难混为一谈。大多数的处境都是简单的——只是情感上难以接受。问题和解决办法都是简单且显而易见的。你并非不知道如何去做。你当然知道。只不过你担心最终会弄得比现在还要糟。

现在，我告诉你：如果你已处于这种情境，就不会比现在更糟糕。再复习一下"战胜恐惧"的部分，并且真正战胜恐惧。

如同撕去邦迪：
并没有你想像的那么困难和痛苦

中庸的人都是顺从派，像站在雨中的牛一样，以斯多葛式的哲学去接受折磨和灾难。

——柯林·威尔逊（Colin Wilson，1922—，英国作家，

著有《局外人》，新存在主义者）

因为几种最主要的恐惧心理，人们不肯离开即将沉没的船，而简单几条理由就可以驳斥这几种恐惧心理。

1. 辞职是永久的。

绝对不是这样。使用这一章和第三章（战胜恐惧）中"问题与行动"来测试一下，自己如何在行动之后再回到过去的职业轨道或者重新创建新的公司。我从没见过哪种方向的改变是完全不可逆转的。

2. 我会无法支付账单。

你当然可以支付。首先，你的目标是在辞职之前就找到新的工作或者新的现金流来源。这样问题就解决了。

如果你彻底离开或者遭受解雇，暂时削减大部分开支只靠存款生活一阵子并不困难。无论是出租还是出售房子，获得资金的方式很多。你总会有选择的余地。

可能情绪上会有些问题，但你不会挨饿。在这几个月里，把车停进车库，取消保险。在找到下一份工作之前，可以和别人拼车或者搭乘公共汽车。积欠信用卡透支，在家自己烧饭，不在外面吃饭。把以前花了几百甚至几千美元买来却从未用过的东西全部卖掉。

详细统计一下自己的资产、现金储备、债务和每月开支。估算一下，以目前的资源或者卖掉部分资产，自己还能生活多久？

仔细审查所有开支，然后问自己，如果需要一个新的肾脏，我非得精简这项开支，我会如何做？在没有实际需要的时候，不要感情用事——很少有什么事情是致命的，尤其对聪明人而言。如果你做到这些，失去或者辞去一份工作不过是美好生活之前的几周假期（除非你要求得更多）。

3. 如果我辞职，就会失去健康保险和退休金。

不对。

当我被 TrueSAN 公司解雇时，我很担心这两点。我甚至还想到将来带着一口老牙在沃尔玛打工谋生的悲惨前景。

在努力打探了解之后，我发现自己可以享受同样的医疗和牙科保险——同样的保健护理和网络服务——每月 300~500 美元。我把自己的 401K 计划账户转到另一家公司（我选择了富达投资），手续更加简单：只需要 30 分钟不到的电话，而且没有任何费用。

把上述两个基础保险账户搞定所花的时间，比打电话让客服人员调整电费单的时间都要少。

4. 这会毁了我的简历表。

我喜欢充满创意的非虚构类作品。

偷偷用点技巧，让不寻常的工作经历成为得到面试机会的根本原因，这其实并不困难。怎么做？做一些有趣的事情，让看简历的人感到羡慕。如果你辞职之后无所事事，我也不会雇用你的。

另一方面，如果在简历上你有一至两年的世界环游经历，或者有不错的欧洲职业足球训练经历，这两件有趣的事情在你重返职场时会起到意想不到的效果。首先，因为你的杰出你会得到更多的面试机会。第二，那些对自己的工作感到厌烦的面试官会把所有面试时间都用来询问你是如何做到这一切的！

如果有人问及你为什么离开以前的工作岗位时，你就给出一个不容辩驳的回答："这是我能去做（异国情调的、让人羡慕的经历）的一生难求的机会，我无法拒绝这样的机会。我想，还有（20~40）年的工作生涯，有什么好急的？"

酪饼因素

你希望我给你一条成功的秘诀吗？其实，很简单。不断失败。

——托马斯·J·沃森（Thomas J. Watson，1874—1956，IBM 创始人，被称为"计算机之父"）

1999 年夏天

其实在品尝之前，我就知道味道不太对了。尽管在冰箱里放置了 8 小时，这块酪饼仍然没有做好。它在 3 公斤装的大碗里搅拌起来就像黏稠的浓汤，当我把碗倾斜近看的时候，大块的粘块在里面晃来晃去。一定是哪一个步骤做坏了。可能是下面某样东西出了问题：

　　3 个 1 磅重的 Philly 乳酪条

　　鸡蛋

　　甜菊

　　无味凝胶

　　香草

　　酸奶油

在这个例子中，可能是几种原料混合的原因，或者少了某种简单的成分，使酪饼变成了蛋糕状。

我正在节食，不食用任何碳水化合物，之前，我也曾经用过这个配方。我做的酪饼曾经很好吃，以至于我的室友每次都要瓜分一份，并且一直要我做更大的饼。于是就有了数学计算带来的问题。

在 Splenda®（美国一种甜蜜素品牌。——译注）和其他畅销的糖类替代品出现之前，大多数人都使用甜菊，一种比糖甜 300 倍的草药。一滴甜菊相当于 300 小包糖。这需要非常精细的计算，而我不是一个精细的厨师。记得有一次，我没有用发酵粉，而是用小苏打做了几块饼干，结果让我的室友全吐在了草坪上。而这次的新杰作让饼干变得像精细的美食：尝起来就像液体乳酪与冷水以及 600 小包糖的混合体。

然后我做了所有正常和理智的人都会做的事情：我叹口气，抓起最大的汤勺坐到电视机前直面自己的惩罚。我花了整整一个星期天的时间和那么多原料——该品尝自己种下的苦果了。

1 小时和 20 汤勺之后，碗里的浓汤还没有消化多少，但是我已经撑得无法再撑了。接下来的两天里，我不仅吃不下任何东西，连汤也喝不下，甚至在接下来的 4 年里，我都不愿意看到酪饼，而它曾经是我最喜欢的甜点。

愚蠢吧？当然愚蠢。没有比这更愚蠢的事了。这就是人们在工作上一直在犯错的荒谬而具体的一个例子：明明可以避免，却还要自作自受。当然，我接受了教训也为错误付出了代价。真正的问题是——为了哪些错误？

有两种错误：野心的错误和懒惰的错误。

第一种错误是行动决策的后果——做事情。这种类型的错误源于不完整的信息，因为事先不了解所有的事实。但这种错误值得鼓励。幸运总是降临在勇敢者头上。

第二种错误是懒惰选择的后果——不做事情——尽管知道所有的事实，却因为恐惧而拒绝改变恶劣的状况。最终造成学习体会变成了终极惩罚，恶劣关系变成不良婚姻，乏味的职业选择变成了终身监禁。

"是啊，但是如果我所在的行业对跳槽行径非常鄙视怎么办？我才在这里工作一年不到，未来的老板会怎么想……"

他们会这样想吗？在自己陷入更大的不幸之前首先测试那些假设的真伪。我认为，对好老板而言，最重要的吸引因素是：工作成绩。如果事实证明你是一名业界明星，3周后就离开了一家较差的公司，这并不会对你有任何影响。另一方面，如果在你的领域里，获得升职的前提条件是忍受数年的摧残性的工作环境，那么这样的游戏是否值得你去赢取？

错误决策的后果并不会因为年龄的增长而消减。

你在吃什么样的酪饼呢？

问题与行动

只有睡着的人才不会犯错误。

——英格瓦·坎普拉德（Ingvar Kamprad，1926—，
世界最大家具品牌"宜家"的创始人）

每天，成千上万的人离开他们的工作岗位，其中大多数都未必有你能干。这并不令人奇怪，也没有那么悲惨。下面一些练习将帮助你明白，换工作是多么自然的事情，不同工作之间的过渡又是多么简单。

1. 首先，熟悉的现实审视：你想要的东西能在目前的工作中获得吗，还是只能在其他地方获得？

2. 如果你今天被解雇了，你会做些什么来维持财务开支？

3. 请一天的病假，把自己的简历贴在各大招聘网站上。

即使你目前并不想离开你的工作，仍然可以把自己的简历贴在类似网站上，如 www.monster.com 和 www.careerbuilder.com 网站等，必要时还可以使用假名。这会让你知道在目前工作的岗位之外还有其他的选择机会。如果你的实力达到某一水准，可以给猎头们打电话，并给朋友或其他非工作联系的对象发一封简单的电子邮件，如下：

> 亲爱的朋友们：
>
> 　　我正在考虑换一份工作，对任何机会都感兴趣。没有什么事情不可以做。（如果你知道自己想要什么或者不想要什么，可以加上"我对……尤其感兴趣"或者"我希望最好能避免……"）如有可能的机会请告诉我！
>
> Tim

在一个朝九晚五的工作日请一天病假，或者利用一个假日，来完成以上这些练习。这个练习模拟失业的状况，能缓解离开办公室后过渡时间里的心理恐惧。

在行动和协商的世界里，有一个可放之四海的原则：拥有更多选择的人拥有更强的力量。不要一味等待。现在就偷偷瞥一眼未来，让你行动更容易、更坚决。

4. 你如果自己经营或拥有公司，假设你刚遭受起诉不得不宣告破产。公司现在破产了，你必须结束一切经营。这是依照法律你不得不做的事情，这时没有资金来进行其他选择。你将如何生存？

附录：工具和方法

让决策变得容易

○iWorkWithFools（www.iworkwithfools.com）

iWorkWithFools 上有许多关于我们每天要应付的愚蠢同事和老板的故事。你可以阅读他人的故事，或者与他人匿名分享你的故事。

为行动做好所有准备

○I-Resign（www.i-resign.com）

这个网站提供了许多信息，包括寻找第二次人生的工作建议，还有我最喜欢的辞职信的样本。不要错过有用的论坛讨论和歇斯底里的"来自伦敦的网络顾问"的信件。

开设退休账户

如果你需要一个顾问，也不介意花点钱，可以考虑以下选择。

○Franklin-Templeton（www.franklintempleton.com）（800-527-2020）

○美国基金（www.americanfunds.com）（800-421-0180）

如果你决定自己投资，不想出现资金方面的压力，那么联系下面的公司。

○富达投资（www.fidelity.com）（800-343-3548）

○Vanguard（www.vanguard.com）（800-414-1321）

自由职业者和失业者的健康保险

在 www.fourhourworkweek.com 网站上可以找到更多的选择和建议。

○Ehealthinsurance（www.ehealthinsurance.com）（800-977-8860）

○AETNA（www.aetna.com）

○Kaiser Permanente（www.kaiserpermanente.org）（800-207-5084）

迷你退休

拥抱移动生活

在旅游业发展之前，旅游被看成是一种学习，其益处就是陶冶情操并且帮助
价值观的形成。

——保罗·福塞尔（Paul Fussel, 1924—，美国作家），《国外》（*Abroad*）

从长远来看，即兴表达的简单冲动比研究更重要。

——罗尔夫·波茨（Rolf Potts, 美国旅行家，作家），《漂泊》（*Vagabonding*）

当舍伍德从慕尼黑十月啤酒节归来，他头晕目眩，却感受到他这 4 年
来最快乐的时光，远程工作的试验得到允许，他也正式进入了新贵
的世界。现在需要做的，就是好好利用自由和工具，用有限的资金创造出无限
可能的生活方式。

如果你也经历了之前的那些步骤，精简、自控和松开束缚自己活动区域的
缰绳，现在就该尽情展开梦想和探索世界了。

即使你并不想尽情去旅行，或者仍然认为这是不可能的事情——无论是因
为婚姻、抵押贷款还是孩子的原因——本章"迷你退休：拥抱移动生活
（mobile lifestyle）"仍然是你下一步要做的事情。我们一直推迟那些重大的改
变，直到真正急需时（或者准备充分时）而不得不接受改变。这一章是对我们

设计缪斯的最后测试。

变化发生在一个墨西哥小村庄里。

寓言和寻宝者

在医生的建议下，一位美国商人去海边某个墨西哥小村庄度假。第一天因为早晨接到办公室打来的紧急电话，他无法入睡，于是走出房间来到码头上清醒一下头脑。一只小船停在码头边，船上只有一名渔夫，船里有几条大黄鳍金枪鱼。美国人大赞金枪鱼的质量。

"您花了多长时间才捕到这些鱼？"美国人问道。

"只要一会儿。"墨西哥人以好得令人吃惊的英语回答。

"您为什么不多呆一会儿捕更多的鱼呢？"美国人又问。

"这些鱼已经足够养家，还能送一些给朋友们。"墨西哥人一边把鱼放入篮子里一边回答。

"但是……您剩下的时间用来干什么呢？"

墨西哥人抬起头笑着说："我睡到很晚，花一点时间捕鱼，和我的孩子们玩耍，和我妻子朱丽娅一起睡午觉，然后每天傍晚去村庄里散步，在那里和我的朋友们一起喝点葡萄酒，弹会儿吉他。我的生活非常丰富而忙碌，先生。"

美国人笑了笑，立直了身子。"先生，我是哈佛的工商管理硕士，可以帮助您。您应该花更多的时间捕鱼，然后就可以买一艘更大的船。很快，通过捕获更多的鱼，您就可以买几艘船。最终您可以拥有一支渔船舰队了。"

他继续说道："您不用再把捕获的鱼卖给中间人，可以直接卖给消费者，最终可以创建自己的罐头厂。您可以控制产量、加工和销售。当然，到时您会离开这个海边小渔村，搬到墨西哥城，然后搬到洛杉矶，最后去纽约，你可以正确管理、经营自己不断拓展的公司。"

墨西哥渔夫问道："但是先生，这得花多少时间啊？"

美国人这样回答："15~20 年。最多 25 年。"

"但是然后呢，先生？"

美国人笑了笑，然后说："那是最好的时间。时机合适时，您可以宣布挂牌上市，把自己公司的股票卖给大众，成为非常富有的人。您可以赚几百万美元。"

"几百万？先生，然后呢？"

"然后您可以退休，搬到一个海边的小渔村，在那里可以睡到很晚，花点时间捕鱼，和孩子们玩耍，和您的妻子一起午睡，然后每天傍晚去村庄里散步，在那里和您的朋友们一起喝点葡萄酒，弹会儿吉他……"

最近我在旧金山和一位好朋友吃午饭，他也是我大学时期的室友。他即将从一所顶尖的商业学校毕业回到投资银行业。他讨厌每天午夜才从办公室回到家，但是他向我解释，如果他这样每周工作 80 小时，9 年后他就能够成为一名常务董事，每年收入可达 300 万 ~1000 万美元之多。那时他就非常成功了。

"老兄，每年 300 万 ~1000 万美元到底用来做什么？"我问道。

他怎么回答的呢？"我要去泰国长途旅行一次。"

这正好清楚体现了当今时代里最大的自我欺骗之一：超级富有的人才能进行长途旅行。我也听到下面这样的话：

"我只会在公司工作 15 年。然后我就升职为合伙人，就可以减少工作时间。一旦在银行里存有 100 万美元之后，我就把它投入安全型的投资里，比如债券，每年赚取 8 万美元的利息，然后退休去加勒比海旅游。"

"我只在咨询行业做到 35 岁，然后就退休去骑车环游中国。"

如果你的梦想，绚丽职业生涯终点的那罐金子，就是在泰国自由旅行，在加勒比海环航，或者骑车环游中国，会怎样呢？这所有一切只要 3000 美元不到就可以实现。上述三个梦想我都体验过。下面只是两个例子，表明很少的钱就可以做到哪些事情。[64]

250 美元　在史密森学会热带研究所的一个私人岛屿上和三名当地渔夫一起呆了 5 天，三名渔夫为我捕食烧饭，还带我去了巴拿马最棒的也是最神秘的潜水景点。

150 美元　在阿根廷的葡萄酒之乡门多萨租用三天私人飞机，在私人导游的带领下，飞越了最美丽的葡萄园，环绕了白雪覆盖的安第斯山脉。

问题：你最近花的 400 美元花在什么事情上？在大多数美国城市里，这 400 美元不过是两三个周末的无聊活动的开支，或者为了忘却一周工作的活动开支。对于改变人生的整整 8 天的经历而言，400 美元算不了什么。但是这 8 天并不是我向大家所推荐的目标。从更大的范围而言，那只是其中的小插曲。我建议的远不止这些。

迷你退休的诞生和假日的消亡

> 人生不是通过加速就可以体味到更多的。
>
> ——莫罕达斯·甘地（Mohandas Gandhi, 1869—1948，也称"圣雄甘地"，
> 印度民族主义运动领袖，既是印度的国父，也是印度最伟大的政治家）

2004 年 2 月，工作非常辛苦，我也非常痛苦。

我最初计划的寻梦之旅是在 2004 年 3 月去哥斯达黎加进行为期 4 周的西班牙式休闲之旅。我需要为自己充充电，无论从哪点来说，4 周的时间

---

64. 这一章的美元数额都是指布什总统 2004 年连任之后的时期，也是近 20 年来美元汇率最差的时期。

看上去都非常"合理"。

一个对中美洲比较熟悉的朋友负责任地指出这个计划行不通，因为哥斯达黎加的雨季就要开始了。倾盆大雨和急流可不是我想要的放松方式，于是我改变计划，决定干脆直接到西班牙旅行，为期4周。尽管横跨大西洋的旅程很长，然而，西班牙和我一直想去的其他国家相邻。于是我很快就失去了"理性"，决定在西班牙呆4周之后，应该去斯堪的纳维亚（半岛）继续花整整3个月探索我的家族历史之根。

如果有什么定时炸弹或者迫近的灾难的话，一定早在前4周里就爆发了，因此，把旅行时间延长到3个月并不会增加额外的风险。3个月，真是太棒了。

最后，3个月变成了15个月，我开始问自己："为什么要把20~30年的退休时段整个放在最后，而不是把它重新分配到整个人生中去呢？"

疯狂旅行之外的其他选择

> 要感谢州际高速公路体系，现在从东海岸到西海岸的旅行几乎看不到任何东西。
> ——查尔斯·库拉尔特（Charles Kuralt，1934—1997，美国新闻记者，长期在哥伦比亚广播公司工作，曾经坐着旅游车四处采访，记录美国普通家庭的历史）

如果你已经习惯一年工作50周，那么即使创造了移动可能来进行长途旅行，这种惯性仍然会一路带领着你，14天游览10个国家，最后疲惫地结束。就如同一只饿极了的狗进了一家全自助餐厅，它会把自己吃到撑死。

我把这3个月变为15个月的寻梦之旅，去了7个国家，还和一个好不容易请到3周假期的朋友一起旅行了至少20个地方。整个旅程令人兴奋，不过有点像在看快速播放的人生。我们已经不太记得在哪个国家发生了哪些事情（除了阿姆斯特丹 [65]），大多数时间我们俩身体都不太好，而且有时因为已经提前订好航班而不得不离开某些地方，这令我们感到非常不舍。

我建议完全反着做。

疯狂旅行之外的其他选择——迷你退休——花 1~6 个月的时间去一个地方工作或者体验，然后才回家或者去往下一个地方。这是最积极意义上的反度假。尽管比较休闲，但是迷你退休不是为了逃避，而是为了重新审视你的生活——创造一个空白的平台。在精简和自控之后，你还要逃避什么呢？我们的目标是以能让世界改变我们的速度去亲身体验这个世界，而不是奔波于一个又一个熟悉而陌生的宾馆间通过照相机来观看这个世界。

这也不同于休息日。休息日通常更像退休：一次性的活动。当有时间的时候就休息。迷你退休则以循环为特点——它是一种生活方式。现在，我每年有三到四个迷你退休时段，而且我知道，有一些人也在和我做着同样的事情。

清除杂念：情感自由

一个人的完美之处就在于找到自己的不完美之处。

——圣·奥古斯丁（Saint Augustine，354—430，著名天主教神学家）

真正的自由并不仅仅是有足够的金钱和时间做自己想做的事情。有可能——实际上不是例外而是规律——你拥有了金钱和时间上的自由却依然困于激烈竞争的痛苦之中。在追求速度和规模的文化中，一个人不可能解除压力，除非他能先摆脱追求物质的习惯，摆脱时间饥荒的情绪，摆脱相互

---

65. 当然，我指的是阿姆斯特丹逍遥漫游的自行车和著名的馅饼。

攀比的冲动。

　　这需要时间。效果不是累积的，再多的为期两周（two-week，也叫做"too weak（太无力）"[66]）观光旅行也不能替代一次不错的丛林漫游。[67]

　　在我的采访对象的人生经验里，一般要花两到三个月来脱离过去的常规生活，然后清楚地认识到自己曾让忙碌干扰了自己的生活目标。和西班牙朋友吃一顿晚饭就花掉两个小时，你能泰然处之吗？一个小镇每天下午所有的公司都要午休两小时然后下午四点就下班，你能适应吗？如果不能，你得问，为什么？

　　学会放慢节奏。故意失去方向。观察一下自己是如何看待自己和身边的人。这可能要花上一点时间。至少用两个月的时间去摆脱过去的旧习惯，重新发现自己，并且不要提前预订不断迫近的返程班机。

财务现实：就是变得更好

关　于迷你退休的经济争论是蛋糕上的糖霜。

　　在一家高级宾馆呆四天或者两个人在一家不错的旅店呆一周的成本，和在一个不错的豪华公寓里住一个月的成本差不多。如果你换一个地方居住，国外的开支同样也开始抵消——通常成本更低——你此间在美国的账单。

　　下面是最近旅行的一些实际月开支数额。

　　南美和欧洲的部分同时都被标出，表明奢侈的程度取决于你对当地的熟悉程度和你的创新能力，而并非取决于第三世界国家的货币贬值总额。很显然，我并没有在温饱线上挣扎——我过得像一个摇滚明星——其实这次旅行只需我

---

66. 《洛杉矶时报》的乔尔·斯德恩创造出这个词。
67. 无论如何，只管出门旅行一次，花几周时间完全没有束缚地去做自己想做的事情。我就这样做过。继续下去。我手拿荧光棒来到了西班牙的度假胜地伊比沙岛。喝了苦艾酒和很多水。接着，坐下来开始计划真正的迷你退休。

平时花费的 50%不到。但我的目标是享乐，而不是苦行僧般的生存。

机票
○免费，来自美国运通金卡和 Chase 大陆航空公司万事达卡的折扣机会 [68]

住宿
○布宜诺斯艾利斯的公寓，相当于纽约第五大道的公寓，有房屋清洁工、私人保安、电话、采暖和高速互联网：每月 550 美元
○柏林普伦茨劳堡区 SoHo 式的新潮大型公寓，包括电话和采暖：每月 300 美元

膳食
○布宜诺斯艾利斯四星级或者五星级饭店每日两餐：10 美元（每月 300 美元）
○柏林：18 美元（每月 540 美元）

娱乐
○布宜诺斯艾利斯 Opera 海湾最热门的俱乐部八人贵宾桌和无限畅饮的香槟：150 美元（每人 18.75 美元× 4 次 / 每月＝每人每月 75 美元）
○西柏林最热门俱乐部的入场券、酒水费和跳舞费：每人每晚 20 美元× 4 次 / 每月＝每人每月 80 美元

---

68. 缪斯的维护成本低，但在以下领域内非常昂贵：制造业和广告业。和愿意接受信用卡支付的商家做生意，事先就此谈判，必要时可以说："我并没有让您把价格降低，我只是要求您接受信用卡付款。如果您能够接受，在您和您的竞争者某某之间，我将选择您。"这是另一个"实盘报价"的例子，而不是一个问题，让你处于更有利的谈判位置。在 www.fourhourworkweek.com 网站上注册，就可以查阅到我如何通过"搭载"和"循环"等概念获取旅游积分的详细解释。

教育

○布宜诺斯艾利斯每天两小时的西班牙语私教课，每周 5 次：每小时 5 美元× 每月 40 小时 = 每月 200 美元

○每天两小时探戈舞私教课，由两名世界级职业舞者教授：每小时 8.33 美元× 每月 40 小时 = 每月 333.2 美元

○柏林每天 4 小时顶级德语指导：每月 175 美元。因为有学生证，我所有的交通费可以打 40% 的折扣，但是如果我没有去上课，钱也会自动被扣除。

○柏林最好的学院每周 6 小时的综合武术训练：免费，作为我每周教授英语两小时的交换条件。

交通

○在布宜诺斯艾利斯参加探戈舞课程的每月地铁和每日出租车的来回费用：每月 75 美元

○在柏林地铁、有轨电车和公共汽车的每月费用，学生证打折之后：每月 85 美元

4 周的奢侈生活

○布宜诺斯艾利斯：1533.2 美元，包括从肯尼迪机场出发的来回机票，在巴拿马一个月的逗留。有近三分之一费用用于每天与世界级老师一对一的西班牙语课程和探戈舞指导。

○柏林：1180 美元，包括从肯尼迪机场出发的来回机票，和期间在伦敦一周的逗留费用。

这些数字与你目前的家庭月开支相比如何，包括房租、车险、设备、周末开销、聚会、公共交通、汽油、会员费、订阅费、食物和其他事物？把它们全

加起来，很有可能，你会像我一样发现，环游世界享受自己的人生能帮你实实在在地省下不少钱。

恐惧因素：不去旅行的借口

旅行毁了所有的快乐！看过意大利之后，这里没有一幢楼值得一看。

——范尼·伯尼（Fanny Burney，1752—1840，英国小说家）

但我有一幢房子和孩子们。我不能去旅行！

健康保险怎么办？要是有什么事情发生怎么办？

旅行不危险吗？要是遭受绑架和袭击怎么办？

但是我是一个女人——一个人旅行会有危险。

大多数不去旅行的理由完全就是——借口。我也曾有过这样的借口，所以这并不是假仁假义的说词。我非常清楚，借用外界原因作为不去行动的理由很容易使自己放过自己。

我见过截瘫患者和聋哑人，也见过老人和单身母亲，还见过私人房主和穷人，他们都在寻找并且都找到了很好的改变人生的理由，他们实现了长途旅行的梦想，而不是驻足于无数的繁琐小事之中无法行动。

上述大多数的担忧都将在"问题与行动"中得到解决，但是其中有一点需要事先做一点镇定精神的准备。

"现在是晚上 10:00。你知道你的孩子们在哪里吗？"

在进行第一次出国旅行之前，所有父母们最担心的就是在混乱之中丢失一个孩子。

　　好消息是，如果你带着孩子去纽约、旧金山、华盛顿或者伦敦没问题的话，那么带他们一起去我在"问题与行动"部分建议的起始城市就更不用担心了。和美国大多数大城市相比，那些城市的枪支和暴力犯罪更少。其次，因为更多的旅行是去第二个家：也就是进行迷你退休，你在旅程中和陌生人一起从机场到旅馆之间来回折腾的机会减少了，出现问题的可能性会随之降低。

　　但是，万一呢？

　　让·艾瑞可，一位单身母亲带着两个孩子周游世界5个月，她比大多数人的恐惧感更强烈，这常使她凌晨2点在一身冷汗中惊醒：要是我有什么事怎么办？

　　她想让孩子们事先准备好当最糟情况发生时该如何应对，但又不想过于惊吓孩子，于是——像所有的好妈妈一样——她把它变成一个游戏：谁能记住路线、旅馆地址和妈妈的电话号码？她把每个国家的紧急联系人的电话号码都以速拨形式存入她可以全球漫游的手机里。最后，什么事情也没有发生。现在她正打算搬到欧洲某个可以滑雪的山中小屋，把孩子们送到法国一所语言学校。就这样，一次成功孕育着下一次成功。

　　她在新加坡的时候最为害怕，事后回想起来，其实那是最不用担心的地方（她曾经带着孩子去过南非等其他地方）。害怕是因为那是她的第一站，她还没有适应和孩子们一起旅行。这种害怕只是一种感觉，并不是现实。

　　罗宾·玛林斯基·罗梅尔，她和丈夫带着7岁大的儿子在南美旅行了一年，之前她曾经受到朋友和家人的警告：2001年货币贬值风暴之后不要去阿根廷。她做了一些调查，认为这种担心是没有根据的，决定继续前往巴塔哥尼亚旅行。当她告诉当地人她来自纽约的时候，他们瞪大眼睛张大嘴巴："我在电视上看到那些大楼被轰毁！我永远不会去那么危险的地方！"不要总以为国外比你自己的家乡更危险。大多数情况下并不是这样。

　　和我一样，罗宾认为，孩子是人们安于舒适环境的借口。为了不去进行探险的尝试，就找出这么个简单的借口。该如何克服恐惧呢？罗宾给出两点建议：

　　1. 在正式开始和孩子们一起的国际长途旅行之前，先进行几周的试验性旅行。

2. 在旅程中的每一站，从到达的时刻开始安排一周的语言课程，尽可能充
   分利用机场的有利条件。语言学校的工作人员通常会为你安排公寓的租
   用，你也可以在旅行之前先认识一些朋友，了解当地的情况。

但是如果你担心的不是丢失孩子，而是担心孩子扰乱了自己的心情，那该
怎么办？

接受本书采访的一些家庭都给出了同一个建议：采用人类所知的最古老的
说服手段——奖惩。每一个孩子都可以因为一小时的良好表现而得到一些钱，
25~50 美分。如果他们违反了规则，就扣除相同的数额。所有享乐的购买花
费——无论是纪念品、冰淇淋还是其他东西——都来自孩子们自己的积蓄。没
有积蓄，就没有糖果。这对父母自制能力的要求通常比孩子们的要求更高。

如何得到 50%~80% 折扣的机票

这不是一本教你节省出行的图书。

这里所提供的节省成本的建议主要是针对那些狂欢式旅行的
人。对开始迷你退休的人而言，他们宁可另加 150 美元轻松得到两个月分期
付款的机票，也不会花 20 小时飞一条未知航线来获取飞行积分或可疑的好
处。

经过两周的调查研究，我以 120 美元买了一张去欧洲的单程候补机票。
我满怀信心和热情地到达肯尼迪机场——看看那些全价买票的傻瓜！——
90% "参与" 此次活动的航班拒绝了我的机票。那些航班的位子在好几周之
前就被预订掉了。结果，我花 300 美元在一家宾馆住了两晚，填了一份对
AMEX 航空公司的投诉意见表，最后，在万般沮丧之中我从肯尼迪机场拨打
了 1-800-FLY- EUROPE 热线电话。以 300 美元买了 Virgin Atlantic 航空公司

去伦敦的往返机票，并且在一小时后出发。而一周之前同样机票的价格超过700美元。

去过25个国家之后，我发现了一些简单的策略，可能在不浪费时间和制造麻烦的前提下为你节省90%的开支。

1. **使用积分奖励的信用卡支付大笔的"缪斯"的广告费用和生产开支。**

   我不会为了省小钱而花大钱——这些开支是不可避免的，因此我就充分利用它们的价值。单单这一条就为我每3个月赢取一张免费的国际往返机票。

2. **提前（至少3个月之前）或者在最后一刻购买机票，最好把出发和返程日期定在周二和周四之间。**

   我非常讨厌制订远期旅行的计划，而且计划若有改变，代价就会很大，所以我选择在既定出发日期之前四到五天才去购买所有的票。一旦飞机起飞，那些空座的价值就是0美元，所以最后时刻的机票非常便宜。

   首先使用Orbitz（www.orbitz.com）。把出发和返程日期定在周二和周四之间。然后对比一下前后3天出发的不同航班之间的票价。选择票价最便宜的那一天作为出发日期，用同样的方法选择出最便宜的返程日期。去该航空公司的相关网站把自己计算出的票价和其公布的票价做对比。然后去www.priceline.com网站以50%的折扣价竞拍这两个票价中的更优惠价，可以以每次50美元的增加量继续竞拍，直到拿到更优惠的价格或者确信无法拿到为止。

3. **可以考虑买一张去国际航运中转中心的机票，然后再买一张便宜的当地航班的机票。**

   如果去欧洲，我一般买3张票。一张免费的西北航空机票（通过兑换AMEX积分）从加州机场到肯尼迪机场，一张去伦敦希思罗机场最便宜的机票，还有一张 Ryanair 或者 Easy Jet 航空公司的去我最终目的地的最便宜的机票。我曾经只花了 10 美元从伦敦飞到柏林或者西班牙。这可不是印刷错误。地方航线经常会根据税金和汽油的价格来收取航班座位的费用。去中美洲或者南美洲的目的地，我通常会选择巴拿马的当地航线或者迈阿密的国际航线。

更多就是更少：消除杂乱

人类想得到一切可能想到的物质目标。随着能生产出任何东西的现代工业文化的出现，打开满足无限需求的仓库的时机也成熟了！……它是现代的潘多拉之盒，它的瘟疫也随之散布在世界各地。

——朱利斯·亨利（Jules Henry，1904—1969，美国人类学家）

只有放弃许多原本平常却被过高估价的东西，才有可能得到自由、快乐和成功。

——罗伯特·亨莱（Robert Henri，1865—1929，美国肖像画家）

我认识一个千万富翁的儿子，他是比尔·盖茨的私人朋友，目前管理私人投资和农场。过去 10 年，他名下积累了各种不同的漂亮房子，每一幢都有全职厨师、仆人、清洁工和维护人员。在每一个时区都拥有自己的房子是什么感觉？非常痛苦！他感觉自己像在为他手下的人员工作，因为那些工作人员在他的房子里呆的时间比他还要多。

长途旅行是减少多年来超出所能地消费所造成的伤害的好借口。在拖着五件套的新秀丽大箱子环游世界之前，你应该先清除那些貌似生活必需品的杂物。那真是地球上最可怕的部分。

我并不是让你穿着睡袍和拖鞋走来走去，也不想叫你对那些有电视的人嗤之以鼻。我不喜欢那些假仁假义的惺惺作态。我可不想把你变成一无所有的作家。还是让我们面对现实吧：在你家里和生活中有许许多多东西是你用不上的、不需要的、甚至并不特别想要的。它们只是你冲动之下买来的废物或者杂物，进入你的生活却永远也不会起什么作用。你是否注意到，这种混乱让你无法决策、无法专注，也消耗注意力，把自由的快乐变成了繁重的任务。在你把这些杂物全部扔掉之前，你根本不会认识到它们干扰和破坏的作用——无论是瓷娃娃、玩具车还是粗制 T 恤衫。

在开始 15 个月的旅行之前，我正担心如何把我所有的东西放入租来的 14× 10 英尺大小的存储室里。接着，我意识到：我永远不会重读存下来的商业杂志，我在 90%的时间里一直穿着同样的 5 件衬衫和 4 条裤子，该换新家具了而我却从来没有动过以前买来的室外烤架或者户外家具。

扔掉那些我永远也不会用的东西就像终结资本主义。要我放弃那些曾经以为非常有价值而买来的东西真的不太容易。挑选衣服的最初 10 分钟就像在决定每一个孩子的生死。我好久没有扔过东西了。把从来没穿过的漂亮圣诞服饰归入"扔掉"的一堆真是困难，而把那些穿了很久已经产生某种情感的旧衣服也归入同一类更是令人不舍。经历最初几个困难抉择之后，动力开始增加了，接下来的事情就容易多了。我把所有很少穿的衣服都捐给了慈善机构。通过 Craigslist 网站，家具花了不到 10 个小时就解决了，尽管我只得到某些家具原零售价的 50%，还有一些是白送出去的，不过这又有什么关系？我已经使用甚至虐待了它们 5 年，当我再次回到美国时我会买一套新家具。我把室外烤架和户外家具送给一个像孩子一样喜欢过圣诞节的朋友。这让他足足兴奋了一个月。感觉真不错，我口袋里多出了 300 美元，至少可以支付在国外最初几周的房租。

还没清理地板，我就给公寓腾出了 40%以上的空间。让我感受最大的不是多出来的物理空间，而是多出来的精神空间。此前我仿佛同时运行了 20 个精神程序，而现在我只运行了一个或者两个，我的思路变得更加清晰，人也更快乐了。

我问过书中每一个接受采访的漂泊者，如果要给第一次长途旅行的人一条建议，会是什么。回答是一致的：尽量少带东西上路。

而把行李箱装满的冲动是很难克服的。解决办法就是设立我称之为"安居资金"的款项。我准备行李时没有考虑所有可能发生的紧急情况，而是尽量少带行李，准备100—300美元作为旅行过程中到达某地时的购买资金。我从不带化妆用品，也不带一周以上的换洗衣物。这是一个挑战。在海外寻找剃须乳液或衬衫本身就富有探险趣味。

设定自己一周后就会回来，在此前提下打包行李。以下是一些必需品，按重要性前后排序：

1. 相应季节内一周的衣物，包括一件半正式衬衫和一条裤子或适宜的裙子。还可以带上T恤衫、两条短裤和一条实用的牛仔裤。

2. 所有重要文件的备份影印件或者扫描件：健康保险、护照／签证、信用卡、借记卡等。

3. 借记卡、信用卡、总额200美元的当地小额纸币（大多数地方不接受旅行支票，即使接受也要多费口舌）。

4. 在运输途中和旅店里防止行李被盗的小型钢丝索自行车锁；用于存物柜的小型挂锁。

5. 目的地语言的电子词典（纸制版字典在交谈时查阅太慢）和小开本的语法指南或课本。

6. 一本简洁明了的旅行指南。

就这么多。要不要带手提电脑呢？除非你是一名作家，否则我建议不要带。带上它太麻烦又容易分心。可以使用GoToMyPC从设有互联网的咖啡吧登陆家中电脑，让我们养成这样的习惯：不要扼杀时间，而要充分利用时间。

波拉波拉岛的生意人

加拿大，努纳武特，巴芬岛

乔希·斯坦尼兹[69] 站在世界的边缘惊奇地注视着眼前的一切。他把靴子踩进 6 英尺深海水结成的冰里，好像看到独角兽在跳舞。

10 只独角鲸——白鲸罕见的近亲——游到水面上，对着天空伸出它们 6 英尺长的螺旋型长牙。这群 3000 磅重的鲸又一次窜回深深的海底。独角鲸能潜入非常深的海底——有时深达 3000 英尺以上——因此乔希至少等了 20 分钟才又一次看到了它们。

他和独角鲸在一起似乎很合适。它们的名字来自古斯堪的那维亚语，指的是它们斑驳的蓝白皮肤。

独角鲸——活死人。

他笑了，过去几年他经常这样笑。乔希自己就是一个行尸走肉。

大学毕业后一年，乔希发现自己患上口腔鳞状癌性病变——癌症。他一直希望成为一名管理咨询顾问。他一直希望成为很多角色。突然间这些都不重要了。得这种特殊癌症的人只有不到一半的患者能存活下来。[70] 死神不歧视任何人，而且来的时候不会给任何征兆。

很显然，生命中的最大风险就是遗憾：错过不该错过的。他再也不能回到过去，即使过去那几年他一直在做自己不喜欢的事情。

两年之后，恢复健康的乔希开始了他没有终点的环球之旅，他以做一名自由作家的收入来支付旅行的开支。后来他和别人一起创立了一个网站，专

---

69. www.nileproject.com 创始人。
70. http://www.usc.edu/hsc/dental/opfs/SC/indexSC.html.

门为那些想成为漂泊者的人制订路线和行程。他的主管地位并没有让他安定下来。他已经习惯在波拉波拉岛的水上小屋或者在瑞士的阿尔卑斯山的小木屋里谈生意了。

有一次他在雷尼尔山的基地营接听了一个客户的电话。客户打电话来确认一些销售数字，并且问乔希话筒背景里的风声是怎么回事。乔希回答："我正站在海拔 10000 英尺高的冰山上，今天下午大风一直在猛烈地把我们向山下吹。"客户让乔希继续做他自己的事情。

另一名客户在乔希正准备离开巴厘岛的一个寺庙时打来电话，并且在话筒里听到了背景里的敲钟声。客户问乔希是否正在教堂。乔希不知道如何回答，他脱口而出，说："是的吧？"

回到这群独角鲸当中，为了不遭遇北极熊，乔希还有几分钟时间就要出发回到探险队营地。24 小时的白昼意味着回到陆地上的小隔间之后他可以和朋友们分享很多故事。他在冰层上坐下来，从一个防水包里拿出卫星电话和手提电脑。他像往常一样开始写电子邮件：

"我知道你们看见我这么开心一定很不舒服，但是知道我现在在哪里吗？"

问题与行动

知道太多的结果是不幸的：知道自己行程路线的旅行者立即就会感到厌倦，就如同小说家在确信自己的小说情节之后一样的感觉。

——保罗·泰鲁（Paul Theroux，1941—，美国现代火车旅行家），

《地球边缘之旅》（*To The Ends of the Earth*）

如果这是你第一次考虑移动生活方式和长期探险，我很羡慕你！做出改变并且进入等待已久的新世界，就像把人生中你的乘客角色提升

为飞行员的角色一样。

　　这次"问题与行动"主要讲述你应该采取的每一个确切步骤——可以用倒计时的方式——用来准备自己的第一次迷你退休。当你真正经历过一次旅行之后，大多数步骤可以被精简和浓缩。其中一些步骤是一劳永逸的准备，因为这些准备做好之后，以后的迷你退休顶多只需要两到三周的准备时间。

　　拿一支铅笔和一张纸——这会很有趣。

1.　**做一个简单快速的资产和现金流统计。**

　　在桌子上放两张纸。一张用来记下所有的资产和其相应的价值，包括银行账户、退休账户、股票、债券、房产等等。在第二张纸的当中画一条线，在线的左右两边分别写下所有收入的现金流（工资、缪斯收入、投资收入等）和开支费用（抵押、房租、车款等）。哪些东西可以被精简呢，是极少用到的，还是没有什么大的价值反而还带来不少压力和干扰的？

2.　**在欧洲一个梦想的目的地设定为期一年的迷你退休目标，并为之克服恐惧心理。**

　　用第 3 章"问题与行动"的内容来评估自己对最糟糕情况的恐惧以及现实中可能出现的后果。除了极少数例外，大多数情况都是可以避免的，即使出现其他情况也是可以扭转局面的。

3.　**为自己实际的迷你退休选择一个目的地。从哪里开始？**

　　这是一个大问题。我建议以下两种选择：

　　a.　选择一个起始点，然后四处游荡直到找到第二个家。当我买了一张去伦敦的单程机票时我就是这么做的。我在整个欧洲游荡直到喜欢上了柏林，接着就在那里呆了 3 个月。

b. 观察一下旅行地周边，然后在最喜欢的地点安顿下来。当我在中美洲和南美洲旅行的时候就是这么做的。我在经过的每个城市都呆了1~4周，最后回到我最喜欢的——布宜诺斯艾利斯——在那里呆了6个月。

当然也可以在自己的国家里实施迷你退休，但是如果身边尽是拎着同样老套行李的人，变革的效果会有影响。

我建议你选择国外的地点，这些地方虽然看上去陌生，但是并不危险。我打过拳击、赛过摩托车、做过体现男人气概的所有事情，但是在巴西棚户区[71]，我会严格区分平民和机关枪，路人和弯刀，还有社会争斗。贫穷没问题，但是枪眼可不行。在订票之前，首先查阅一下国家相关部门的旅游警告提示。

以下是我最喜欢的起始地点，你也可以选择其他地方。最有生活情调的地方用楷体字标出：阿根廷（布宜诺斯艾利斯、科尔多瓦），中国（上海、香港、台北），日本（东京、大阪），英国（伦敦），爱尔兰（高威市），泰国（曼谷、清迈），德国（柏林、慕尼黑），挪威（奥斯陆），澳大利亚（悉尼），新西兰（皇后镇），意大利（罗马、米兰、佛罗伦萨），西班牙（马德里、巴伦西亚、塞维利亚）和荷兰（阿姆斯特丹）。在以上这些地方，花很少的钱就可以过得很好。我在东京的开支比在加利福尼亚的还少，就是因为我对东京非常了解。在大多数城市里，都可以看到艺术区域向破败地区迁移的潮流，这与十年前的布鲁克林毫无不同。惟一一个我几乎找不到20美元以下的像样午餐的地方是哪儿呢？伦敦。

以下异域城市，是我不建议首次尝试漂泊的人踏足的地方：非洲所有的国家、中东、中美洲和南美洲（除了哥斯达黎加和阿根廷）。墨西哥城

---

71. 巴西小镇。从电影《上帝之城》（*City of God*）里可以体味到这些有趣的事情。

和美国与墨西哥的交界地带由于绑架事件频发，也不能成为我青睐的目的地。

4. 为旅行做好准备。下面是倒计时的日程表。

○3 个月之前——精简

在出发之前习惯极简主义的行动原则。即使你从未计划出行，也可以问自己一些问题再采取行动：

哪 20%的行李是我 80%的时间都会用到的？精简剩余 80%的衣服、杂志、书籍和其他东西。要无情——即使发现生活中还要用到那些东西，你可以重新购买。

哪些行李给你的生活带来压力？这和维护成本（金钱和精力）、保险、月支出、时间消耗或者单纯的干扰有关。精简、精简、再精简。只要卖掉一小部分物品，就能为迷你退休提供一笔大的资金。车子和房子也不例外。回家之后你一定能再次购买车子或房子，而且通常来说不会有什么损失。

检查一下目前享受的健康保险是否涵盖了长途海外旅行。出租或者卖掉房屋——经常在外漂泊的人最赞成出租——或者结束自己公寓的租期，把所有个人物品都搬到储藏仓库里。

任何情况下，当你心存疑虑的时候，就问自己："如果有一把枪正逼着我，我会怎么做？"事情并不像你想象的那么困难。

○2 个月之前——自控

把多余的物品精简之后，联系定期给你发送账单的公司（包括供应商），约定以信用卡形式自动付款，并获得奖励积分。告知对方你将环游世界一年，对方通常会接受你的信用卡支付形式，而不会像追踪神偷卡门一样，上天入地到处找你。

为应对拒绝的信用卡公司和其他公司，设置支票账户的自动借记转账。开通网上银行业务和网上账单支付业务。把那些不接受信用卡支付或者自动借记转账的公司都作为网上收款对象。在处理公共事业费用和其他各种开支的时候，将这些既定支付账单的额度比预计多设置15~20美元。这样就可以把各种各样的杂费都预算在内，既避免了耗时的账单处理，又积累了信用。取消银行和信用卡的报表清单寄送服务。为所有支票账户办理银行发行的信用卡——一张商业用途，一张私人用途——并把现金透支额度降为0美元，减少信用卡滥用的可能性。把这些卡留在家里，只把它们当作应对紧急情况的透支款。

找一位可以信赖的家人或者会计师，授予他们以你的名义签署文件（比如报税单和支票）的权利。[72] 正在国外享受旅行的快乐，却出现不能接收传真件或必须亲自出席签署一份原文件的情况，再没有比这更扫兴的事了。

○1 个月之前——

和所在地邮局的主管沟通，要求把自己所有的邮件都转递给某位朋友、家人或助理，你每月支付100~200美元，请朋友或者家人在每周一把所有非垃圾邮件的内容简单描述并通过电子邮件转给自己。

准备好旅行目的地要求和建议的所有健康免疫证明和疫苗接种证明。可以查阅疾病控制与防疫中心网站。注意在通过国外海关时有时需要提供健康免疫证明。

在 GoToMyPC.com 或者其他远程登陆软件上创建一个试用用户名，预

---

72. 这一步非常重要，必须找自己信任的人。这样你的会计师就能够以你的名义签署税务文件或者支票，你就不必花费几小时甚至几天的时间来传真、扫描或者使用昂贵的联邦文件快递服务了。

先操作一次以确保不会发生技术问题。[73]

如果转销商（或者销售商）仍把支票寄给你——此时履约商应该处理客户支票——你可以做以下三件事之一：把银行存款账户信息直接告诉转销商（理想首选），让履约商处理这些支票（第二选择），让转销商通过 PayPal 支付或者把支票邮寄给自己信任并且有权代表自己的某个人（最次选择）。最后一种选择中，把存款单交给那个有权代表自己的人，这样他或者她就可以签名或者盖章，然后邮寄支票。如果你是大银行（美国银行、富国银行、华盛顿互惠银行、花旗银行等）的客户那就方便很多，你的助手可以在做自己的事情时顺路把款项存入附近的分行。如果不愿意也没有必要把所有的账户都转到这一家银行，只要新开一个账户专门处理这些存款。

○两周之前——

把身份证明、健康保险和信用 / 借记卡都扫描存入电脑，并打印多份，几份留给家人，另外几份分别放入随身带的几个包里。把扫描的电子版本通过电子邮件存到自己的邮箱，如果在国外丢失了打印件还可以重新打印出来。

如果你是企业家，选择一个最便宜的手机服务方案，并设置语音问候："我目前因商务原因在海外出差。请不要留语音信件，因为这段时间我不会查阅语音信箱。如果事情重要，请发电子邮件到＿＿@＿＿.com。谢谢您的谅解。"然后设置一个电子邮件信箱的自动回复，说明由于海外出差的缘故可能要 7 天左右（或者你选择的任何周期）才能回复邮件。

如果你是员工，可以考虑买一个四频或者 GSM 兼容的手机，这样老板

---

73. 在外出时把自己的电脑留在家中或者放在其他人家中，这会非常有用。如果你随身带了电脑，就可以省略这一步，不过那好比刚刚戒掉海洛因的瘾君子随身带了一包鸦片一样。不要诱惑自己去扼杀时间，而要去重新发现时间。

就能联系到你。如果老板会检查你是否正常接收工作邮件，就去买一个黑莓手机。别忘了在发出的电子邮件里把该死的泄漏秘密的"从黑莓发出"签名档服务禁止！其他方法还有：使用一个可以转接到自己海外手机的 SkypeIn 账户（强烈推荐），或者使用一个 Vonage IP 盒，你就能在世界任何地方都以自己家庭住址的区号开头的电话号码接听固定电话。

在迷你退休的最终目的地找一间公寓，或者在迷你退休的起点为自己预订三到四天的旅店或者宾馆。在抵达之前预订公寓，风险和费用都比较大，不如利用到宾馆后的三到四天时间再去寻找合适的公寓。如果可能的话，我建议在起点住旅店——这不是出于成本的考虑，而是因为旅店的工作人员和入住者更加见多识广，对你寻找合适的目的地更有帮助。

如果需要的话，办一份海外医疗转运保险。如果你身处发达国家，最好像我一样购买当地保险来增加自身的保险系数。如果需要 10 小时的飞行航程才可以飞回发达国家，这份转运保险也起不到任何作用。我在巴拿马办了转运保险，是因为这里离迈阿密只有 2 小时的飞行，但此后我在其他地方都没有办过。不要为此感到不安，在美国中心和在任何遥远的地方都是一样的。

○ 一周之前——

为需要批处理的任务比如电子邮件、网络银行业务等订好日程计划，以精简那些因为无意义工作而推迟重要事情的借口。我建议，旅行中只在每周一的早晨查阅电子邮件，并处理网络银行业务。每个月的第一个和第三个周一查阅信用卡使用情况，并处理其他网上支付业务，如合伙人业务等。这些自我承诺是最难遵守的，所以现在就开始执行，做好自己可能会冲动地取消这些承诺的准备。

把重要文件——包括身份证件、保险和信用 / 借记卡的扫描文件——保存在随身携带的可插入电脑 USB 端口的小存储器上。

把所有物品从自己的房子或者公寓里搬出，放到存储仓库里，只为旅行打一个小背包和一只手提箱，然后简单向一位家人或者朋友交代一下。

○两天之前——

把车停进储藏室或者朋友的车库里。把燃料油安定剂放进油箱，把电池的正负极分开以免电量耗尽，使用千斤顶，以保护轮胎和防震。把所有的车险取消，除了失窃保险。

○到达（假设你没有预订公寓）——

入住旅店的第一个白天乘坐公共汽车环游城市，然后骑自行车在未来公寓周围的小区转一转。

第一天下午或晚上购买一只未绑定 [74] 的手机和可以使用预付充值卡的 SIM 卡。发电子邮件给 Craigslist.com 网站上的公寓房东或者经纪人，查阅当地报纸的网络版，为接下来两天的看房做好准备。

第二天和第三天找到并预订一个月的公寓。如果没有试过在那里过夜，不要订一个月以上的时间。我曾经提前支付了两个月的公寓租金，结果发现城市最热闹的公共汽车站就在我卧室的对面。

搬入的那天安顿下来，购买当地健康保险。问一下旅店店主和其他当地人他们买的是什么保险。除非到离开前两周，一定说服自己不要购买任何纪念品或者其他可以带回家的东西。

一周之后把所有随身带来的不经常使用的东西精简掉。把它们送给更需要的人，或者寄回国，或者扔掉。

---

74. "未绑定"指使用预先充值的付费方式，而不是使用如电信运营商 O2 或 Vodafone 的单一信号的每月付费方式。也就意味着只需使用 10~30 美元的 SIM 记忆卡进行简单转换，同一只手机就可以在其他国家（假定频率相同）接收不同的信号了。美国某些兼容的四频手机也可以使用 SIM 卡。

附录：工具和方法

寻找迷你退休的目的地

○网上旅行者（www.virtualtourist.com）

全世界最全面、最公正的一手旅游资源。超过 775000 名会员在该网站上为 25000 个旅行目的地提供了建议和警告。每一个目的地都分成 13 个类别，比如，要做的事情、当地风俗、购物、旅行必备物品等。对大多数迷你退休体验者而言，这里能提供一站式服务。

○脱身有术者（www.escapeartist.com）

想拥有第二本护照、建立自己的王国、在瑞士银行开户，或者想做其他我不敢写入本书的事情吗？该网站提供了丰富有趣的资源。当美国总统发动第三次世界大战时，你一定希望得到一个逃跑计划。无论你正在保时捷的卡宴车里还是被关在监狱里，都给我传个信。

○外界杂志在线免费档案（http://outside.away.com）

外界杂志的所有档案都可以在线免费获取。无论是宁静的露营地，还是世界闻名的旅游热点，无论是梦想中的工作，还是巴塔哥尼亚独特的冬季，这里有几百篇附有美丽图片的文章点燃你旅行的渴望。

○GridSkipper：都市旅行指南（www.gridskipper.com）

对那些喜欢《银翼杀手》似的诡异气氛、探索神秘角落的都市爱好者而言，这个网站非常合适。它是《福布斯》杂志 13 强的旅游网站之一，而且"雅俗共赏"（引自 *Frommer* 杂志）。

○孤星：荆棘树（http://thorntree.lonelyplanet.com）

是身处不同地域、有着不同观点的环球旅行者的论坛。

○家庭旅行论坛（www.familytravelforum.com）

你一定猜到这是一个关于家庭旅行的综合论坛。想把孩子们以高价卖到东欧吗？或者为了省钱想把祖母送到泰国火葬？那么你找错地方了。但是如果你有孩子，有一个旅行的大计划，那么这就是你要找的地方。

○世界旅游之窗（www.worldtravelwatch.com）

这里有拉里·哈伯格和詹姆斯·欧雷利有关全球事件、与旅行安全相关的奇异事件的每周在线报道，以主题和地理位置分类。在最终确定计划之前必看的简明指南。

○美国国务院世界旅行警告（http://travel.state.gov）

迷你退休计划和准备——基本要点

○环游世界常见问题（包括旅行保险）（www.perpetualtravel.com/rtw）

这里的常见问题解答起到了救生员的作用。最初是由马克·布罗修斯执笔，此后经过几年来不断的补充，现在已经涵盖了从财务预算到文化碰撞等各方面的具体细节。你的资金能够维持多久？你需要旅行保险吗？请假出行还是干脆辞职？这是全球通用的实用指南。

○美国疾病控制与防疫中心（www.cdc.gov/travel）

对世界上每一个国家的疫苗接种和健康计划都有相应的建议。某些国家在入关时要求提供疫苗接种证明——因为有些疫苗要提前几周预订，所以要尽早完成接种。

○税务计划（www.irs.gov/publications/p54/index.html）

更多好消息。即使你搬到其他国家永久居住，只要你还拥有美国护照，就不得不交美国的税！但不要担心——法律上还有一些办法可想，比如 2555-EZ 表格，如果你一年内在美国以外的地方呆了 330 天以上，这份表格就能为你提供高达 80000 美元收入的免税。那也是我为什么将 2004 年之旅延长到 15 个月之久的原因之一。请一个好会计师，让他们帮你处理具体事宜，从而省却自己的麻烦。

○美国出资的海外学校（www.state.gov/m/a/os）

如果你不愿意让自己的孩子脱离学校一到两年，可以把他们安排到由美国国务院出资在全世界 132 个国家开办的 185 所中小学里。孩子们还是喜欢上学的。

○国际货币兑换（www.xe.com）

当你沉浸在旅行的兴奋之中，忘记了 5 英镑不等于 5 美元的事实之前，在这个网站上把当地的货币数值换算成自己能明白的货币数值。不要总是出现"这些硬币每一个等于 4 美元吗"的疑问。

○通用插座转换器（www.franzus.com）

随身携带一大堆电线和连接器是非常恼人的事情——找一个带保护装置的 Travel Smart 牌多功能转换器。大小只有半副扑克那么大，这是至今为止我在各地使用过的转换器中惟一没有出现过问题的。请注意这是一个转换器（帮助你插入插头），而不是一个变压器。如果国外墙上的电路电压是美国的两倍，你的器械会自动失灵。所以这又是一条理由，不要带着这些必需品出国，而应该直接在国外购买。

○全球电力指南（www.kropla.com）

世界各地不同的电路布局、电压伏数、移动电话、国际电话拨打区号以及电力不匹配等等相关知识。

世界范围的便宜机票

○Orbitz（www.orbitz.com）

世界范围内 400 多条航线，这是比较价格的开始。

○Priceline（www.priceline.com）

以 Orbitz 提供价格的 50%开始竞拍，然后依次以 50 美元递加。

○CFares（www.cfares.com）

通过免费或者低收费的会员资格就可以享受批发折扣价。我曾经以 500 美元买到过从加利福尼亚到日本的往返机票。

○1-800-FLY-EUROPE（www.1800flyeurope.com）

我曾经在飞机起飞前两小时以 300 美元买到从肯尼迪机场到伦敦的往返机票。

○欧洲折扣航线（www.ryanair.com，www.easyjet.com）

全球免费住宿——短期

○全球免费住宿者（www.globalfreeloaders.com）

这个网络社区把大家集中起来在全球为你提供免费住宿。一方面可以从本地人的角度去了解当地，另一方面既省钱又能结交新朋友。

○沙发冲浪工程（www.couchsurfing.com）

和上面的网站类似，不过更吸引年轻的、喜欢热闹的群体。

○热心俱乐部（www.hospitalityclub.org）

在世界各地都可以通过这个运营良好的网络平台，结识为你提供免费旅游或者住宿的当地人，该网站在全世界200多个国家拥有200000个以上的会员。

在世界各地免费住宿——长期

○国际互换家园（www.homeexchange.com）（800-877-8723）

该网站提供家园互换名单，可以从超过85国家的12000个以上的家园名单中搜索。只需要交纳一小笔会员费就可以浏览全部网站一年时间，可以给看中的家园直接发电子邮件，也可以把自己的家园或者公寓贴到网站上。

付费住宿——从到达开始长期居住

○Hostels.com（www.hostels.com）

该网站不只是提供青年旅舍。通过它我在东京闹市区找到一家不错的宾馆，只需20美元一晚，还通过该网站在8个国家找到类似的宾馆。首先考虑宾馆的位置和大众评价（见下面的HotelChatter），而不是宾馆的档次。四星级的宾馆是为那些奢侈的旅行者服务的。在找到一套公寓或者其他长期住宿的房子之前，该网站能够为你提供真正富有当地风味的住宿地点。

○HotelChatter（www.hotelchatter.com）

好好阅读该网站的每日网络日记，可以挖掘到详细而真实的世界各地住宿情况评论。每天更新几次，既有旅行者失望而沮丧的经历，也有发现神秘宝藏的令人激动的故事。该网站也可以提供在线预订。

○Craigslist（www.craigslist.org）

除了印有房屋列表的当地周刊，比如柏林的 *Bild* 杂志或者 *Zitty*（不是开玩笑）杂志，我还发现Craigslist网站是一个寻找海外长期居住的带家具公寓的最佳起点。我写这本书的时候，该网上已经有50多个国家的公寓了。而且网上订房价格要低30%~70%。如果你的资金预算有限，可以让一位旅店员工或者某个当地人帮助你打电话商谈价钱。告诉当地带你谈价的人，在价钱谈拢之前先不要透露你的海外身份。

○国际之家（www.interhome.com）

总部在苏黎世，在欧洲有 20000 多间可以出租的房屋。

○Rentvillas.com（www.rentvillas.com）（800-726-6702）

非常特别的租房体验——从小村舍、农场，到城堡——整个欧洲范围，包括法国、意大利、希腊、西班牙和葡萄牙。

电脑远程登陆工具

○GoToMyPC（www.gotomypc.com）

该软件帮助你便捷地登陆自己电脑上的文件、程序、电子邮件和相关网络。该软件可以通过任何网络浏览器或者无线设备使用，而且是实时工作。过去 5 年多我一直忠诚地使用 GoToMyPC 从世界各个国家和岛屿登陆我在美国的电脑。

○WebExPCNow（http://pcnow.webex.com）

WebEx 是公司远程登陆的领头者，现在提供大多数 GoToMyPC 所能提供的服务，包括从远程电脑上剪贴文件、打印文件、传递文件和其他服务。

○金灯笼 Wifinder（www.goldlantern.com/homepages/wifinder.html）

这个比火柴盒还要小的微小器械，可以挂在钥匙圈上，在方圆 300 英尺的范围内找到无线互联网的信号。节省了到处带着手提电脑搜索信号和确认信号强度的巨大麻烦。

免费和低价的互联网（IP）电话

○Skype（www.skype.com）

自从 Skype 问世之后，我每一个国际电话都是通过它拨打的。它可以以平均每分钟 2~3 美分的价格拨打全球的固定电话和手机，或者免费和世界另一端的 Skype 用户连接。每年 40 欧元左右，你就可以获得一个以自己家庭住址电话区号开头的国内号码，然后把这个号码的电话转接到海外手机上。这就能让你的旅行不为人知。你可以悠闲地躺在里约热内卢的海滩上接听打到加利福尼亚你"办公室"的电话。真不错。

○Vonage（www.vonage.com）

Vonage 提供一个小型转换器，将你的宽带解调器连接到普通电话上。旅行时把它带上，并且安装在你的公寓里，这样就可以接听打到国内电话号码的电话。

国际多频段和 GSM 兼容的电话

○我的世界电话（www.myworldphone.com）

我比较偏爱诺基亚手机。确定你购买的手机是"未绑定的"，也就是说可以在不同的国家根据网络供应商的不同更换其中的 SIM 卡。

○世界电子 USA（www.worldelectronicsusa.com）

很好地解释了不同国家使用的 GSM 频率和"波段"。帮你决定在旅行时应该购买什么样的手机（也许对选择家用电话也有帮助）。

人迹罕至之地的工具

○卫星电话（www.satphonestore.com）

如果你想在尼泊尔的山区或者遥远的岛屿上有一个让自己安心（或者让自己头疼的）的电话，那这个电话就得通过卫星工作而不是发射塔。Iridium 品牌是公认接收信号能力最强的（两极之间），GlobalStar 第二（三个大洲）。租借或者购买都可以。

○口袋大小的太阳电池板（www.solio.com）

如果电池耗尽，那么卫星电话和其他小型电子器械就毫无用处。（或者当跳石子玩？）Solio 大概有两副扑克的大小，展开就变成小型太阳电池板。我很惊讶地发现它只用 15 分钟不到就把我的手机充满电了——比墙上的插口还要快两倍。转换器也全球通用。

到达之后做什么——测试职业和其他

○去海外（www.transitionsabroad.com）

这里资源非常丰富。详见"参考读物"一章。

○偶遇（www.meetup.com）

可以按照城市和活动类别在全世界范围内寻找和自己兴趣相同的人。

○成为旅行作家（www.writtenroad.com）

别人出资让自己去环游世界并且记录下自己的见闻？这是多少人梦寐以求的职业。好好阅读一下旅行文学的前辈让·利奥的作品《文胸里的沙子和其他不幸的遭遇：路上的有趣女人的故事》。这本个人博客录是 *Frommer* 杂志评出的经济旅行最佳指南，其中有不少很好的关于不带器具进行低科技旅行的实用文章。

○教英语（www.elscafe.com）

对教师、未来的教师和英语学习者而言，"戴夫的 ESL 咖啡馆"是历史悠久而且非常有用的资源。有讨论版和世界范围内"招聘教师"的布告。

○把自己的脑袋变成橡皮泥（www.jiwire.com）

环游世界，同时和家中的朋友们短信联系。该网站列有 150000 个以上不同类别的关注热点以满足你对信息的渴望。如果它成为你每次上网必去的网站，那么你应该感到羞愧。如果你感到厌倦，记住——这是你的错。我也曾经历过，所以我不是在说空话。我们常会不时地有这种感觉，但是你得更加有创意才好。

○兼职或者全职的新职业（www.workingoverseas.com）

这本百科全书详尽地为那些放眼全球的人们提供了无限的选择。由《去海外》杂志的国际职业编辑让－马克·哈切编撰和更新。每年支付 15 美元就可以尽情浏览。

○有机农场的全球机会（www.wwoof.com）

先学习然后在十几个国家教授可持续有机农业技术，包括土耳其、新西兰、挪威和法属玻利尼西亚岛。

用自己不懂的语言交谈和发电子邮件

○免费翻译（www.freetranslation.com）

把英语文本翻译成十几种语言，或者把那些语言翻成英语。尽管 10%~20%没翻出来的地方会给你带来麻烦，不过总体而言还是令人吃惊的准确。

在最短时间里熟练掌握一门语言

○语言狂和加速学习（www.fourhourworkweek.com）

所有和语言相关的方面，都可以在 www.fourhourworkweek.com 网站上找到，从详细的指南（如何激活忘却的语言、每周背 1000 个单词、掌握语调等）到记忆术，到最佳电子捷径都有。学习语言是我的一个嗜好，我学会把语言分解再组合，以更快地掌握它。3~6 个月内掌握任何一门语言完全是可能的。

⑮

填补空虚

缩减工作，丰富生活

专注于我们自身之外的东西，是矫正过于理性的头脑的好办法，因为这样的头脑过于沉浸在自己的世界里。

——安·拉蒙特（Anne Lamott，1954—，美国作家），

《一只鸟一只鸟》（*Bird by Bird*）

不可能有足够的时间让我们去做所有想做的无聊事情。

——比尔·沃特森（Bill Watterson，1958—，美国漫画家）

引子：伦敦，国王十字地区

穿过铺着鹅卵石的小路，我撞进对面的一家熟食店，要了一份意大利熏火腿三明治。当时正是上午 10:33，我第 5 次看时间了，也第 20 次问自己："我今天要去做什么呢？"

目前所能想到的最好回答就是：买一份三明治。

30 分钟之前，那是 4 年以来我第一次在没有闹钟的情况下自动醒来，而前一夜我才刚刚从肯尼迪机场飞抵这里。我一直非常向往着这样的生活：清晨伴着窗外清脆的鸟鸣声醒来，笑着从床上坐起来，闻着新煮咖啡的清香，像西班

牙别墅里的一只小猫一样伸伸懒腰。太惬意了。事实却通常是这样：好像被什么粗粗的声音叫醒，一下子笔直地从床上坐起来，一把抓过闹钟，嘴里还一边诅咒着，穿着短裤跳下床去查阅电子邮件，突然想起这违反了自己的承诺，于是又诅咒了一番，回去看看房东同时也是我以前的同学在不在，这才意识到他和世界上其他人一样去上班了，然后自己才吓了一跳。

接下来的一天我迷糊地从博物馆荡到植物园，再荡回博物馆，好像是在一遍又一遍地清洗衣物。我一直避免进有互联网的咖啡馆，心中还带着一丝说不清的愧疚。我需要列一张"要做事务清单"来让自己拥有成就感，于是写下了"吃晚饭"之类的内容。

这日子比我想像的困难多了。

产后抑郁症：这很正常

> 人，生来就如此，一种工作的放松只有在另一种工作中得到。
>
> ——阿那托尔·法郎士（Anatole France，1844—1924，法国教育家，作家）

我拥有的金钱和时间比曾经梦想的还要多……为什么还感到抑郁？

这是一个可以好好回答的好问题。很高兴你现在就意识到这一点，而不是等到生命的终结！退休生活和过度富有的生活一样，因为同一个原因而让人失去成就感和变得神经质：太多空闲的时间。

但是等一下……难道更多的时间不是我们一直追求的吗？这难道不是本书一直在讨论的吗？不，根本不是。过多的空余时间只会导致更多的自我怀疑和各种无聊的意淫念头。去除了不好的并不意味着就产生了好的，只是留下了一片空白的空间。减少以赚钱为目的的工作并不是最终目标。更多地生活——更多地体验——才是目标。

刚开始的时候，表面的幻想就足够了，这并没有什么错。我得承认这是个重要阶段。疯狂地做自己的梦，这不是肤浅也不是自私。这对不再压抑自己和戒掉不断推迟计划的习惯非常关键。

我们假设你实现自己梦想的第一步是去环游加勒比海群岛或者去非洲塞伦盖提大草原远征。那会是一次非常奇妙而令人难忘的旅行，你现在就应该去实现它。然而，总有一天——无论是三周或者三年之后——你再也喝不下凤梨可乐达或者再也不能为红屁股的狒狒拍照了。自责和存在的恐慌从这一时刻就开始了。

但是这是我一直渴望的生活啊！我怎么会感到厌倦呢?！

不要惊慌，镇定下来。当一直表现很优秀的人在辛苦工作很长一段时间之后调低速度挡位时，这种感觉很正常。你以前越聪明能干越执着于目标，现在这些不断增加的痛苦就会越强烈。好比以前一次冲三包咖啡而现在突然要养成不喝咖啡的习惯一样，摆脱时间的饥荒感、学会享用充足的时间也不容易。

还不止这个！退休者感觉抑郁还有另一个原因，对你也如此：社交孤立。

办公室还是有它的好处的：免费的劣质咖啡、倾诉抱怨、闲聊、互相诉苦、同事彼此通过电子邮件互发的有趣视频和愚蠢的点评、一事无成但是说说笑笑就可以打发几个小时的会议。工作本身可能无药可救，但它构筑了人际交往的网络——社交环境——而把我们置身其中。一旦解放出来，这个自动的部落单位就消失了，而自己头脑中的声音就更加清晰了。

不要害怕自我存在的或者社会交往的挑战。自由就像一项新的运动。刚开始，彻底的新鲜感足以让整件事情一直保持它的趣味性。而当你掌握了基本要领之后，就会发现，即使只想做个半吊子的运动员，也需要进行认真的训练。

不要着急。最大的回报就会到来，而你距终点线只有 10 英尺了。

沮丧和疑惑：你并不孤独

都说人一直在为人生寻找意义。我认为并不是这样。我们一直寻找的是活着的经历。

——约瑟夫·坎伯（Joseph Campbell，1904—1987，美国神话学教授，作家），

《神话的力量》（*The Power of Myth*）

当你摆脱了朝九晚五的生活后，旅程中并非到处都是美丽的玫瑰和白色的沙滩，当然大多数时候应该是这样的。没有最后期限和人际干扰，人生重要的大问题（比如"这到底有什么意义？"）在之后的时间里变得更难以回避。在大海般无限的选择面前，决策也变得困难。我究竟想要怎样的人生？好像又回到大学四年级的时候了。

和所有成功的过来人一样，你也会经历可怕的疑惑阶段。当走过了在糖果店里挑选的阶段，相应的动力就不知不觉地产生了。世界上其他人依然处于朝九晚五的工作折磨之下，而你离开了单调的工作开始考虑自己的决策正确与否。常见的疑惑和责问包括以下几点：

1. 我这么做的确是为了更自由和更美好的生活吗，还是仅仅因为我的懒惰？

2. 我离开激烈的竞争是因为不喜欢它还是我无力应对它？我只是逃避吗？

3. 现在是我理想的生活吗？也许我最好还是回到过去的生活，接受别人的指示而不要去理睬其他的可能性。至少那样生活比较容易。

4. 我真的成功了吗，或者只是自欺欺人？

5. 我有没有为了让自己显得成功而降低自己的标准？那些目前收入是三年前两倍的朋友们是否做了正确的选择？

6. 现在我为什么不快乐？我可以做任何事情，但还是不快乐。我有资格享受这种生活吗？

　　大多数疑虑在我们明白怎么回事以后都会消失：正是过去那种"更多就是更好"、"金钱代表成功"的竞争思路让我们在开始阶段陷入了问题之中。除了明白这一点之外，还需要更深刻地观察和体会。

　　只有头脑空白的时候才会想到这些问题。回想一下，你曾在什么时候感到精力百分百的集中和充沛——处于状态之中时。极有可能是你完全专注于某件外界事物上的时刻：专注于某个人或者某件事情。运动和性爱是两个非常棒的例子。缺乏外界的注意力集中点，脑袋就开始转向内在并制造需解决的问题，尽管问题并不明确或者重要。如果你找到一个注意力的集中点，一个看上去不太可能实现的野心勃勃的目标，它就会促使你成长和发展，[75] 于是那些疑虑自然就消失了。

　　在寻找新的注意力集中点的过程中，那些所谓的人生大问题会不可避免地出现在你面前。世界各地所谓的哲学家们一直想拨开纷繁世事的迷雾回答那个永恒的问题。其中两个最常见的问题就是"人生的意义是什么"和"这到底有什么意义"。

　　问题不断地出现，从自省角度到本体论角度，但是对所有的问题我都有一个答案——根本不回答这些问题。

　　我不是一个虚无主义者。事实上，我曾花了十几年时间探索精神和意义的概念，正是这样的探索让我离开世界顶尖大学神经系统科学实验室，去访问世界各地的宗教机构。最后得出的结论是令人惊讶的。

　　我百分百地确信，大多数我们觉得必须面对的重要问题——经过几个世纪的思考和误解——本身的措辞就非常不确切，让所有解答的努力都成为浪费时间的行为。[76] 这并不令人失望。反而帮助你解除了一个巨大而无用的负担。

---

75. 亚伯拉罕·马斯洛，美国心理学家，因提出"马斯洛需求层次理论"而闻名，他会把这个目标定义为"最高层次的体验"。
76. 关于佛教的禅宗公案和深奥的沉思冥想问题可以通过一些方式得到解答，但那些方式和工具不是必需的，也不是本书的讨论范围。大多数没有答案的问题只不过是因为问题本身措辞不清。

思考一下这个问题中的问题：**人生的意义是什么？**

如果必须回答，我只有一个答案，就是：一个生物有机体的本质状态。"但是那只是一个定义，"提问题的人会反驳道，"那不是我所表达的意思。""那你表达的意思是什么？"除非问题本身很清楚——每一个词都定义明确——否则没有办法去回答它。如果没有进一步的明确阐述，"人生"的"意义"问题无法回答。

在花时间回答那些让你紧张的大小问题之前，请先确保你对下面两个问题的回答是"是"。

1. 我清楚这个问题中的每个词的惟一涵义吗？
2. 这个问题的答案能付诸行动并改善目前的状况吗？

"人生的意义是什么？"这个问题既不能满足上面的第一个条件，也无法满足第二个条件。诸如"如果明天火车晚点怎么办？"之类超乎自己能力范围的问题，也无法满足上述第二个条件，可以不予回答。这些问题都没有价值。**如果你不能明确定义问题或者无法采取应对行动，就忘掉这个问题**。如果你接受本书的这个观点，它会帮助你进入世界上能力和成效最佳的前100人的行列，同时把你生活中那些哲学上的精神压力一一消除。

磨砺你的逻辑性和实践性精神工具，并不意味着要你做无神论者或者无宗教主义者。也不是让你变得愚钝和肤浅。而是让你变聪明，把精力都用在关键有效的地方。

一切的关键点：请开始吧

人真正需要的不是没有压力的生活状态，而是为了自己自由选择的、值得的目标努力和奋斗的状态。

——维克多·弗兰克尔（Viktor E. Frankl, 1905—1997，奥地利心理学家）

我相信，生命就是用来享受的，自己感到快乐就是最重要的事情。每个人都有自己实现这两个目标的方式，而这些方式随着时间而有所改变。对某些人而言，答案就是去帮助孤儿，对另一些人而言，可能就是编写乐曲。我自己对实现这两个目标的回答是——去爱和被爱，学无止境——不过我不认为每一个人都得这样。

有一些人认为自爱和享受快乐是自私和贪图享受的表现，其实不是。享受人生、帮助他人——或者自己感到快乐并增加大家的快乐——并不像不可知论者和精神生活倡导者那样彼此排斥。一个人并不会排斥另一个人。假定我们关于这一点已经达成了一致。那么，还有一个问题："要做什么才能让我享受人生并为自己感到快乐？"

我无法提供让每一个人都满意的惟一回答，但是基于我曾采访过的十几个成功新贵，我认为有两点非常重要：持续的学习和服务。

学无止境：把锯子磨锋利

第一次出国的美国人经常惊讶地发现，尽管过去 30 年有了巨大的变化和进步，但很多外国人还是在说外国话。

——戴夫·巴里（Dave Barry, 1947—，美国作家，普利策奖获得者）

活到老，学到老。必须得这样做。这就是我经常在进入新工作单位的前 6 个月内就辞职或者遭解雇的原因。随着可以学习的空间逐渐缩小，我开始感到厌倦。

　　当然你可以在家更新自己的头脑，不过旅行和移居能提供特殊的条件让这个更新过程变得更快。像坐标和镜子一样，陌生的环境为你的个人成见提供了一套全新的参照系统，让你的弱点更加容易克服。在出发去异地旅行之前，我都会明确哪一项特殊技能将在那里得到集中提高。下面是几个例子：

　　○爱尔兰的康尼马拉：盖尔式爱尔兰语、爱尔兰长笛，以及世界上速度最快的田径项目爱尔兰式曲棍球（想像一下用斧状手柄玩长曲棍球和橄榄球）
　　○巴西的里约热内卢：巴西式葡萄牙语和巴西式柔道
　　○德国的柏林：德语和锁舞（街舞的一种）

　　我想专注于语言学习和某种肌肉运动技能的学习，有时，第二个目标是到达国外目的地后才发现的。最成功的长年漂泊者通常会将身心的同步发展结合起来。注意，我经常把我在家练习的一项技能——武术——和旅行中海外国家当地的武术结合起来。这样，很快就融入了当地的社交生活并结识到朋友。当然，学习目标并不一定是某项竞技运动——可以是徒步旅行、象棋或者任何能吸引你从书本中抬起头走出公寓的事物。运动正好是一个非常不错的选择，它可以避免开始阶段因为语言不通而产生的恐惧感，而且，通过运动切磋能培养持久的友谊。

　　这里要特别提一提语言学习。毫无疑问，语言学习是训练清晰思维能力的最佳选择。

　　不要说不懂当地语言就不可能了解当地文化，何况，掌握一门新的语言会增进对自己语言的了解：对自己思想的了解。熟练掌握一门外语的实际益处通常被低估，就像它的难度通常为人所高估一样。很多理论语言学家也许会提出异议，但我从个人对十几门语言的实践和研究中得出：（1）当摆脱了朝九晚五的工作方式之后，成人比孩子掌握语言的速度更快。[77]（2）在 6 个月内或者更少的时间内可以达到以任何一门语言流利交谈的水平。如果每天能学习 4 小时，那么 6 个月可以减到 3 个月不到。本书不再详细解释应用语言学和语言学习的80/20 原则，但是在 www.fourhourworkweek.com 网站上可以找到相关资源和完整的指南。高中时，我的西班牙语不及格，但这以后，我学习了 6 门语言，只要方法得当，你也可以做到。

学会一门语言，你就拥有了第二副观看世界和理解世界的眼镜。当然，回国后你用不同的语言诅咒别人也会非常有趣。不要错过使自己人生经历倍增的机会。

为世界服务：
拯救鲸鱼还是杀了它们给孩子吃？

道德不过是我们对个人不喜欢的人所采取的态度。

——奥斯卡·王尔德（Oscar Wilde，1854—1900，爱尔兰戏剧家和小说家）

大家一定期待我在这一节讨论一下服务，下面就开始了。和之前的讨论一样，这里提到的理解也有点与众不同。

服务对我而言很简单：做一些事情，改善自己以外所有物种的生命。这和慈善事业不一样。慈善事业是毫无私心地为整个人类——人类的生活，谋福利。

---

77. Bialystok Hakuta 的《换句话说：二语习得的科学与心理》（*In Other Words: The Science and Psychology of Second-Language Acquisition*）。

人类的生活一直致力于把环境因素和其他的食物链排除在外——因此目前我们正面临灭绝。服务才是正确的态度。世界的存在并不只是为了人类的幸福和繁殖。

在拯救森林和挽救箭毒蛙之前，我首先要告诫自己：不要做理由的势利眼。

你去帮助非洲饥饿的孩子们的时候，洛杉矶正在挨饿的孩子们怎么办？你去拯救鲸鱼的时候，那些无家可归快被冻死的人怎么办？做一个珊瑚灭绝研究的志愿者对目前正需要帮助的人们有什么好处？

孩子们，请注意。每一个不幸都需要我们伸出援手，所以不要陷入"我的理由比你的崇高"之类的无谓争论。数量或者质量上的比较都没有任何意义。事实是：你挽救的几千条生命可能会缓解一场殃及百万人口的饥荒，或者你保护的一棵玻利维亚灌木可以治疗癌症。所有结果都是未知的。尽自己最大的能力，期待最好的结果发生。如果你的努力改善了世界——不管你如何定义世界——那你就做得很好。

服务并不仅仅局限于挽救生命或者环境，还可以改善生活。如果你是一位音乐家，让成千上万甚至几百万的人脸上浮现出笑容，那么我认为这也是一种服务。如果你是一位导师，改变了一个孩子的人生让他朝更好的方向发展，那么世界也就得到了改善。改善世界中生命的质量，它的意义并不低于挽救更多的生命。

服务是一种态度。

找到自己感兴趣的目标和方式，然后就去做。

问题与行动

因为自己没有主意，所以成年人总是问孩子们长大后想当什么。

——宝拉·庞德斯通（Paula Poundstone，1959—，美国喜剧演员）

能在水上行走不是奇迹，真正的奇迹是行走在绿色的地球上，深刻地活在当下，真实地感受生活。

——一行禅师（Thich Nhat Hannh，1926—，越南裔佛教比丘兼作家）

但是我不可能只是旅游、学习语言，或者为了某个目标而奉献毕生！当然你也不能这样。那根本不是我的建议。这些只是很好的"人生轴点"——把我们带向不同机会和经历的起点，没有这些起点，我们就找不到那些机会和经历。

"我的人生应该要做什么？"这个问题没有所谓的正确答案。先把"应该"去掉。下一步——也是整个问题中最重要的——有所追求，至于多么有趣或者多少回报并不重要。不要匆忙地选择一份长期的全职工作。花点时间寻找吸引自己的事情，而不是第一份你可以接受的工作。兴趣会把你带入新的世界。

下面这些不错的步骤将告诉你如何开始，许多新贵都运用它们成功地实现了自己的梦想。

1. 回到零点：什么也不做。

在避开头脑中的妖魔之前，我们先得面对它们。首先是速度癖。如果不在持续的过度刺激之后稍稍喘口气，很难重新调整内在的生物钟。旅行和增长见识的冲动只会让情况更糟糕。

放慢节奏并不意味着做得更少，它表示去除那些影响成效的干扰，从而感知并反思忙碌的惯性。你可以参加一个 3~7 天的静修活动，期间不得说话，也不得接触任何媒体。

学会体味静止的思想状态，这样才能欣赏更多，随之做得更多：

○生活艺术基金会（课程 II）——国际性组织——（www.artofliving.org）
○加利福尼亚的精神碰撞沉思中心（http://www.spiritrock.org）

○马萨诸塞州的克里帕鲁瑜珈健身中心 （http://www.kripalu.org）

○纽约的天湖小屋 （http://www.sky-lake.org）

2. 向自己选择的服务性组织匿名捐赠。

这会让自己更有动力，也不会因服务带来声誉而产生自得感。当服务非常单纯时，感觉会更加良好。下面是一些可以尝试的不错网站：

○慈善导航 （www.charitynavigator.org）

这个独立的慈善服务网站可以根据你设定的标准对 5000 多个慈善机构进行等级划分。可以免费制作你最喜欢机构的个性化页面，并对它们进行各方面的比较。

○第一次给予 （www.firstgiving.com）

Firstgiving 网站帮你创建一个在线募集资金的页面。各类捐赠可以通过特定网址 URL 进行。比如说，如果你特别想帮助动物，可以通过点击一个相关链接进入几百家不同的动物慈善机构网站，然后决定给哪一家捐赠。英国的相关网站地址是 http://www.justgiving.com。

○善意网络 （www.networkforgood.org）

登陆该网站可以找到各种需要捐赠的慈善机构的链接，还可以找到志愿者工作的机会。也可以自动创建在线信用卡的捐赠。

3. 进行一次学习型的迷你退休，并与当地的志愿者服务结合起来。

进行一次迷你退休——6 个月或更长——专注于学习和服务。时间更长可以考虑语言学习，反过来，语言学习可以帮助你在志愿者服务中更有效率更有意义地互动。

在这次退休之旅期间，在本子上记下所有的自我批评和消极的思绪。当感到不安和焦虑的时候，至少问自己三遍"为什么"并把回答写在纸上。书面描述这些疑虑可以从两层意义上降低它们的消极影响。首先，造成最大影响的通常是自我怀疑的不确定的本质。用书面形式定义和研究这种怀疑——就像促使同事写电子邮件一样——要求思路的清晰，于是会发现大多数担忧都是无谓的。其次，把这些疑虑记录下来，某种程度上可以把它们从你的头脑中消除。

但是从什么地方开始，接下来又做些什么呢？没有一个惟一正确的答案。使用下列问题和资源寻找灵感：

现实世界中哪一种情形最令你愤怒？

无论你是否有孩子，对下一代你最担心的是什么？

什么事情让你的人生倍感快乐？你如何帮助其他人也得到同样的快乐？

没有必要把自己限定在一个地方。还记得那个花一年时间与丈夫和7岁儿子一起环游南美洲的罗宾吧？他们三人在每一个地方花一至两个月时间做志愿者的工作，比如在厄瓜多尔的巴诺斯制作轮椅，在玻利维亚雨林帮助珍稀动物康复，以及在苏里南放养棱皮海龟。

到约旦做考古挖掘或者去泰国海岛开展海啸救援工作如何？这只是两个例子，每一期《去海外》杂志都介绍和推荐了几十种海外地点和志愿者工作案例。更多的资源可以参见以下：

国际航空大使（www.airlineamb.org）

儿童大使（www.ambassadorsforchildren.org）

国际援助者（www.reliefridersinternational.com）

博爱世界村项目居住地（www.habitat.org）

行星：实践生态旅行全球名录（www.planeta.com）

4. **重新修订梦想**。

迷你退休之后，把"定位"阶段制定的梦想重新看一遍，需要时可重新修订。下面的问题会有所帮助：

你擅长什么事情？

在哪个领域你会成为最棒的？

什么事情令你快乐？

什么事情令你兴奋？

什么事情让你有成就感并感到自信？

至今为止人生中最令你感到自豪的是什么事情？你能再做一次或者更进一步改进吗？

和其他人一起分享和体验时，你有什么获益？

5. **基于1—4步的结果，考虑尝试新的全职或兼职工作。**

全职工作并非不好，只要你喜欢——这正是"工作"区别于"职业"的地方。

如果你已创建了自己的缪斯，或者把工作的时间减到不能再减，可以考虑尝试一份兼职或者全职的职业：一个真正感兴趣或者一直梦想的职业。这正是我写此书的原因。现在我可以告诉别人我是一位作家，而不用再花两个小时的时间解释我"药贩子"的身份。当你还是小孩子的时候，你梦想将来成为什么样的人？也许现在该去报名参加宇宙露营计划或者做海洋生物学家的实习助理了。

重新找回童年的兴奋并非不可能。事实上，我们应该这样做。再也没有镣铐——或者种种借口——阻止你了。

新贵常犯的 13 大错误

如果你没有犯错，那是因为你处理的问题不够难。而这就是一个大错。

——弗兰克·威尔茨克（Frank Wilczek, 1951—，

美国物理学家，诺贝尔奖获得者）

Ho imparato che niente e impossibile, e anche che quasi niente e facile···

（我知道没有事情是不可能的，也没有事情是容易的……）

——Articolo 31 （意大利说唱乐队）"Un Urlo"

错误就是"生活方式设计"游戏的别名。它要求与基于退休的延期生活的旧世界进行一次又一次的斗争。下面列出了你可能会犯的错误。不要沮丧。错误只是过程的一部分。

1. 迷失了梦想，陷入为工作而工作的思路。当你感到自己陷入这种模式的时候，请重新阅读本书的"写在前面"和"第一步：D——定位"。每个人都会遇到这种境况，但是很多人从此卡住再也出不来。

2. 事事亲为（微观管理）。发送电子邮件来填充时间规定职责，设想可能出现的问题及状况，限定自主决策的范围——请停止吧，为了涉及到的每一个

人的神经。

3. 自己处理可以由外包工作者或者同事处理的事情。

4. 帮助外包工作者或者同事多次处理同一个问题，或者处理非紧急问题。 给他们"如果—那么"的规则让他们解决所有非紧急和不重要的问题。给他们自由让他们在没有你的指示的情况下做事，书面设定自由权限，然后书面强调如果是自由权限和规则以内涵盖的问题，均不会得到你的回应和帮助。以我的例子而言，所有的外包工作者都可以自己判断并处理任何额度不超过 400 美元的问题。根据外包工作者的不同，我会在每一月末或者每一季度末检查他们的决策对利润的影响，并且随之调整相应的规则，通常都是根据他们的正确决策和创新性的解决思路放宽规则。

5. 当拥有了足够的现金流能够资助自己实现非盈利性的梦想时，仍然追在客户后面，尤其是那些不合格的或者海外的潜在客户。

6. 回复那些不会带来销售利润的电子邮件，或者回复那些可以通过常见问题解答或自动回复设置回答的电子邮件。 如果需要将客户正确引导到合适的信息源和外包工作者处的自动回复样本，可以给 info@brainquicken.com 发邮件。

7. 在自己生活、睡觉或者应该休息的地方工作。 区分环境——专门设定一个工作的地方，在这个地方只是工作而已——否则你永远也无法逃离工作。

8. 没有以 2~4 周为周期，对自己的工作和个人生活做一个全面的 80/20 法则分析。

9. 无论是个人生活还是职业生活，都不停地追求无尽的完美，而不是只要达到不错或者良好。要明白，这只是为工作而工作的又一个借口。大多数的付出和努力就像学习一门外语一样：6个月的强化集中训练就可以实现95%正确使用语言的能力，但需要20~30年才能达到98%正确使用语言的能力。专注于将一些事情做到优秀，其他的通通只要达到良好就可以了。完美是一个不错的理想和方向，但是要明白完美的实质就是：一个不可能达到的目标。

10. 夸大琐事和小问题的重要性和比例，作为工作的借口。

11. 把非紧急的事情变得紧急起来，从而证明工作的意义。我说了多少遍了？不要关注银行里的存款，而要关注自己的生活，否则就会像开始阶段的资金空缺一样带来恐惧。如果你无法找到生活的意义，那你就要成为这个意义的创造者，无论是实现自己的梦想，还是找到能够给自己带来目标和自我价值的工作——理想的做法是把两者结合起来。

12. 把某个产品、某件事情或者某个项目当成最终的终点和人生存在的意义。人生很短，经不起浪费，但是对一个悲观主义者或者虚无主义者而言，它又很长。你现在无论在做什么，都只是通往下一个项目或者下一次冒险的踏脚石。你可以进入任何轨道之中也可以从任何轨道中走出。怀疑只不过是某种行动的信号。如果产生怀疑或者处于过度的状态，那么就休息一下，将80/20法则应用于自己的工作、行为和人际关系上。

13. 忽略了生活中的友情。你要结交那些微笑面对人生、非常乐观的非工作关系朋友。你可以独自寻找灵感，但不要独自生活。以友谊和爱的形式分享快乐，快乐就会翻倍。

最后一章

一封必读的电子邮件

忙碌的人忙于任何事情，除了生活。

——塞内加（Seneca，前4—后65，古罗马悲剧家）

过去33年，我每天早晨都面对镜子问自己："如果今天是我人生的最后一天，我还会去做今天原本要做的事情吗？"当答案"不"连续几天出现时，我知道我需要做些改变……几乎所有的事情——所有外界的期待、所有的骄傲、所有的尴尬或者失败的恐惧——所有一切在面对死亡的时候都消失了，只留下真正最重要的事情。记住，我所知道的能够避免陷入失落与担心的最好方法是：假设死亡即将到来。

——史蒂夫·乔布斯（Steve Jobs，1955—，苹果公司创始人，大学中途辍学，后成为苹果公司 CEO），斯坦福大学 2005 年开学典礼讲话 [78]

如果你对人生感到困惑，你并不孤单。大约有 70 亿人和我们一样。当你意识到人生并不是一个有待解决的问题，也不是一个需要赢取的比赛，这自然就不再成为一个问题。

如果你一心要解开这个根本不存在的谜，你就会错过所有真正的乐趣。当你明白那些规定和限制是我们自己为自己制定的时候，不断追求成功的沉重就

---

78. http://news-service.stanford.edu/news/2005/june15/jobs-061505.html.

可以由偶然发现的轻松所替代。

因此，勇敢起来，不要担心其他人的看法。毕竟他们并不经常这样做。

两年前，我收到一封来自纽约一家医院里一个走到生命尽头的患病女孩的电子邮件。自那以后我经常重读来信中的一部分，希望你也能这么做。下面就是来信中我经常重读的内容。

慢慢跳舞

你见过孩子们
坐在旋转木马上吗？

或者听过雨点
拍打地面吗？

是否曾追逐蝴蝶的飞舞？
或者在傍晚看着太阳落山？

你最好放慢脚步。
不要舞动得太快。

时间很短暂。
音乐不会持续。

你跑着穿过一天
好像飞一样吗？

当你问：你好吗？
你听到回答了吗？

当一天过去的时候，
你是否躺在床上

而数不清的琐事
萦绕在你心头？

你最好放慢脚步。
不要舞动得太快。

时间很短暂。
音乐不会持续。

有没有告诉你的孩子，
我们明天再做？

在你的匆忙之中，
有没有看到他的悲伤？

有没有失去联系，
让一段美好的友谊消逝

因为你从来没有时间

去打电话说："嗨"？

你最好放慢脚步。
不要舞动得太快。

时间很短暂。
音乐不会持续。

你为了到达某地跑得飞快，
那就错过了一半到达的乐趣。

你的日子在烦恼匆忙之中，
那就如同扔掉了未拆封的礼物。

人生不是一场竞赛。
请一定放慢脚步。

在歌曲结束之前，
倾听音乐。

参考读物
几个重要的方面

伪君子是谁——谁又不是?

——唐·马奎斯(Don Marquis,1878—1937,美国诗人)

我知道,我知道。我说过不要阅读太多。这里的推荐图书只限于优中选优,也是本书的被访者和我面对"哪一本书最大地改变了你的人生"这个问题时,曾经使用和提到过的图书。

这些推荐的书中没有一本要求做本书所讨论的事情。也就是说,如果你卡在了某一点时,再去翻那些书。每本书的页数均被列出,如果你做了"如何在10分钟之内把阅读速度提高200%?"一节中的练习,那么你每分钟至少应该能够阅读2.5页(40分钟阅读100页)。

如果需要其他类别的知识,包括实践哲学、授权许可以及语言学习等,请登陆我们的相关网站。

基础4项:让我来解释

叫做"基础4项"的原因,是因为它们是4本书,我在写作《每周工作4小时》之前将这4本书推荐给充满热情的生活方式设计师。现在这4本书仍然值得一读,下面是我推荐的次序:

《狂想的魔力》（*The Magic of Thinking Big*）（192 页）

大卫·施瓦兹（David Schwartz）

这本书最初是斯蒂芬·基推荐给我的，他是一位拥有无数专利产品的非常成功的发明家，与他合作的公司有迪士尼、雀巢和可口可乐。从传奇足球教练到著名 CEO，全世界有许多优秀才俊都非常喜爱这本书，亚马逊网站上该书得到一百多个五星级读者评分。书的主要内容是不要高估他人低估自己。开始自我怀疑的时候，我仍然会去重读这本书的前两章。

《如何把想法变成几百万美元：企业家指南》（*How to Make Millions with Your Ideas: An Entrepreneur's Guide*）（272 页）

丹·S·肯尼迪（Dan S. Kennedy）

这本书提供了把想法变成百万美元的一系列选择。我在高中时第一次读这本书，之后重读过 5 遍。它能激发你的企业家潜能。书中有大量案例研究，如多米诺披萨、赌场、邮购产品等，都非常精彩。

《重回创业神话：为什么大多数小型企业经营不力，它们该怎么办》（*The E-Myth Revisited: Why Most Small Business Don't Work and What to Do About It*）（288 页）

迈克尔·E·杰伯（Michael E. Gerber）

杰伯非常擅长讲故事，他关于自控的经典理论讨论了如何打造基于规则而不是杰出员工的企业。它为人们提供了一个非常不错的路标——以寓言的形式讲述——如何从一个不断参与过程的管理者转变成一个拥有者。如果你正陷入自己公司的经营管理之中，那么这本书会立即带你走出困境。

《漂泊：长期环游世界非寻常指南》（*Vagabonding: An Uncommon Guide to the Art of Long-Term World Travel*）（224 页）

拉尔夫·波兹（Rolf Potts）

就是拉尔夫这个人，也是这本书，让我不再寻找各种借口，而是为长期的环游收拾行李。本书几乎涵盖了所有的方面，尤其对选择目的地、适应旅行生活和回归正常生活很有帮助。书中有著名漂泊者、哲学家和探险家的摘录文字，还有普通旅行者的轶事。这是我第一次为期15个月的迷你退休旅行途中带的两本书之一（另一本是《瓦尔登湖》）。

精简情感和物质行李

《瓦尔登湖》（Walden）（384 页）

亨利·大卫·梭罗（Henry David Thoreau）

许多人都认为这本书是自我沉思和简单生活的杰作。梭罗在马萨诸塞州乡村小湖的边上住了两年，自己造房子并且独自居住，并把这段经历作为自力更生和最小化资源的试验。它既是一个巨大的成功同时也是一个失败。这是我第一次为期15个月的迷你退休旅行途中带的两本书之一（另一本是《漂泊》）。

《更少就是更多：自甘贫穷的艺术——古代与现代赞美贫穷文选》（Less is More: The Art of Voluntary Poverty—an Anthology of Ancient and Modern Voices in Praise of Simplicity）（336 页）

高迪安·范德布莱克（Goldian Vandenbroeck）编辑

这本书汇编了关于简单生活哲学的精短文章。通过阅读，我明白如何以最少做到最多，并且学会精简需求，不过并不是像僧人一般生活——很大的区别。全书摘录并引用了从苏格拉底到富兰克林、从印度教典籍《薄伽梵歌》到现代经济学家的可行原则和短篇故事。

《僧人和谜语：一个硅谷企业家的教育》（*The Monk and the Riddle：The Education of a Silicon Valley Entrepreneur*）（192页）

兰迪·科米萨（Randy Komisar）

这本伟大的书是兹肖教授给我的毕业礼物，让我知道"延期生活计划"的说法。兰迪，传奇的 Kleiner Perkins 风险投资公司幕后 CEO 和合伙人，一直被形容成是一位"集职业导师、没有公文包的部长、特立独行的投资家、解决问题和创建机会的人于一身"的人物。让一位真正的硅谷传奇人物向你展示他是如何通过睿智的思想和超脱的哲学创建自己的理想生活的。我曾经见过他——他真的非常了不起。

《80/20 法则：以更少达到更多的成功奥秘》（*The 80/20 Principle：The Secret to Success by Achieving More with Less*）（288页）

理查德·科赫（Richard Koch）

这本书探索了"非线性的"的世界，讨论了 80/20 法则的数学与历史根据，并且提供了同样实用的方法。

创造灵感和相关技能

《哈佛商学院案例研究》（*Harvard Business School Case Studies*）

www.hbsp.harvard.edu（点击"school cases"）

哈佛商学院教育的成功奥秘之一就是它的案例研究模式——使用真实的案例研究来讨论。这些案例带领你深入了解美国 24 小时健身公司、西南航空公司、美国天木蓝公司以及其他上百家公司的市场营销和操作策略。很少有人发现可以以每个 10 美元不到的价格购买这些案例研究，而不用花 10 万美元以上的钱去读哈佛（这并不是说后者不值得）。针对每一种情况、问题和商业模式都有相应的案例研究。

《"这种企业模式非常有效"：我如何利用商业电视广告营销创造价值 1 亿美元的 Thighmaster 健腿器的狂潮：一个企业家的探险故事》（*"This Business has Legs"：How I Used Infomercial Marketing to Create the $100,000,000 Thighmaster Craze：An Entrepreneurial Adventure Story*）（206 页）

彼得·彼艾乐（Peter Bieler）

这是天真的（本词最好的意义）彼得·彼艾乐白手起家的故事——没有产品，没有经验，没有资金——在 2 年不到的时间里，创造了商业销售价值 1 亿美元的帝国。这本书提供了令人兴奋的案例研究，能帮助拓展你的思路。这些案例研究使用了真实的数据，进行与名人交易、市场营销、生产、法律和零售等方方面面的重点讨论。彼得现在能够为你的产品投资做商业广告：www.mediafunding.com。

《权力谈判的奥秘：谈判大师的内幕秘密》（*Secrets of Power Negotiating：Inside Secrets from a Master Negotiator*）（256 页）

罗杰·多尔森（Roger Dawson）

这本关于谈判的书让我大开眼界，并且教给我能够立即使用的实用方法。如果你渴望了解更多，威廉姆·尤莱恩（William Ury）的《跨越不》（*Getting Past No*）和 G·理查德·雪尔（G. Richard Shell）的《为了利益谈判：理性的谈判策略》（*Bargaining for Advantage：Negotiation Strategies for Reasonable People*）非常不错。这些谈判的书足够你使用了。

《回应杂志》（*Response Magazine*）

（www.responsemagazine.com）

这本杂志针对那些几亿美元的直销行业，主要集中于电视、电台和互联网的市场营销。指南文章（增加电话销售、降低媒体成本、提高履约情况等）和成功广告（George Foreman Grill 烤架，疯狂女孩广告等）案例研究相结合。商业界最好的外包商也在这本杂志做广告。这是一个价格非常公道的不错资源——免费。

《乔丹·惠特尼绿色表格》（*Jordan Whitney Greensheet*）（www.jwgreensheet.com）

这是直销世界的内幕。乔丹·惠特尼的每周报告和每月报告对最成功的产品广告进行分析，包括出价、定价、质保和广告频率（通过花费可以指示利润率）。书中还包括最新更新的磁带库，可以通过它购买商业广告和插播广告做竞争性研究。强烈推荐。

《小巨人：选择伟大而不是庞大的公司》（*Small Giants: Companies That Choose to Be Great Instead of Big*）（256 页）

波·伯林汉姆（Bo Burlingham）

长期担任 *Inc.*杂志自由撰稿人的波·伯林汉姆对致力于做到最佳而不是像癌症一样"扩散"的公司的相关分析进行了精心剪辑。这些公司包括 Clif Bar 公司、Anchor Stream Microbrewery、摇滚巨星 Ani DiFranco 的 Righteous Babe 唱片，以及十几个来自不同行业的公司。公司更大并非更好，这本书为你证明了这一点。

漫游协商和逃离准备

《6 个月的假期：如何计划、协商、无需辞职或者破产而休息》（*Six Months Off: How to Plan, Negotiate, and Take the Break You Need Without Burning*

the Bridges or Going Broke）（252 页）

荷普·德格路戈兹马（Hope Dlugozima）、詹姆斯·斯格特（James Scott）、大卫·夏普（David Sharp）

这是第一本吓我一跳的书，"他妈的，我也做得到！"它粉碎了大部分和长途旅行相关的恐惧感，提供了一步步的指南让你在不放弃职业的前提下花些时间去旅行或者追求其他目标。本书提供了大量案例研究和有用的书单。

《去海外：海外学习、生活、工作和志愿者行动的指南》（*Transitions Abroad: The Guide to Learning, Living, Working, and Volunteering Overseas*）

（http://www.transitionsabroad.com）

这本杂志提供了旅行选择的交流中心，为非旅行者提供了十几种令人惊讶的选择机会。印刷版和网络版都能成为你海外旅行的灵感资源。去约旦考古或者在加勒比海做生态志愿者如何？所有这一切都能在这里找到。

补充章节

你手上捧读的，并不是本书的全部内容。我原想加入更多内容，但考虑到容量限制没有办法做到。你可以使用书中隐藏的密码，去寻找我想加入的一些最棒的资料和内容。我花了几年收集了这些资料，下面仅仅是其中的几个例子：

如何以 1 万美元得到 70 万美元的广告

（包括真实的草案）

如何在 3 个月内学习一门语言

缪斯数学：预测产品的利润

（包括案例研究）

授权：从比利·布兰克斯的蹈搏到小熊特迪·华斯比

真实美元的真实授权协议

（单这一项就价值 5000 美元）

更真实的新贵案例研究和采访

在线环游世界（Round-the-World）计划者

要取得更多的读者权限的资料和内容，请登陆我们相应的网站 www.fourhourworkweek.com 上的免费指南信息版。你想进行一次免费的环球旅行吗？那么加入我们，看看一切多么简单。

致谢辞

首先，我必须感谢我的学生们，是他们的反馈和问题激发我写作这本书。我还要感谢我的启蒙导师和企业界的超级英雄爱德·兹肖，是他给了我和学生交流的机会。在延迟梦想被视为正常的当今世界，对于那些有勇气按自己的方式做事的人们，爱德，你一直是一束闪亮的光。我对你的知识和技能深深致敬（还有卡伦·辛德里奇，最棒最得力的女助手），只要你们召唤，我将随叫随到——我会为你做一个 220 磅的健身器。

杰克·甘菲尔德，你带给我许多灵感，并且让我明白，在做一个很好很善良的人的同时，仍然可以做一个非常不一样的人。这本书原本只是一个想法，是你给了它生命。对你的智慧、支持和令人难以置信的友谊，我实在无以言谢。

斯蒂芬·汉索尔门，男人中的极品，世界上最棒的代理人，谢谢你一眼就"看中"这本书，让我从写作的人变成作者。我无法想像还有哪个合作者比你更棒、更酷，期待我们之间更多的探险合作。无论是谈判还是不间断的爵士乐，你都令我惊讶不已。作为新兴的代理形式，LevelFiveMedia 有了你和凯茜·亨明的掌舵，就可以如瑞士表般精确无误地帮助第一次出书的作者成为最畅销作者。

希瑟·杰克逊，你独特深刻的编辑工作和强大的鼓舞力量，让我更快乐地写作这本书。谢谢你的信任！我非常荣幸成为你的作者。Crown 出版社的其他团队成员，尤其是那些我每周麻烦他们（因为我爱他们）超过 4 小时的人们——特别是 Donna Passannante 和 Tara Gilbride——你们是出版界最棒的人。当你们脑袋那么大的时候难道不痛吗？

如果没有那些愿意和我分享他们故事的新贵们，这本书也不可能完成。特别感谢 Douglas Price（"Demon Doc"），Steve Sims，John Dial（"DJ Vanya"），Stephen Key，Hans Keeling，Mitchell Levy，Ed Murray，Jean-Marc Hachey，Tina Forsyth，Josh Steinitz，Julie Szekely，Mike Kerlin，Jen Errico，Robin Malinosky-Rummell，Ritika Sundaresan，T. T. Venkatesh，Ron Ruiz，Doreen Orion，Tracy Hintz，以及十几位因为公司关系选择匿名的人。同样感谢 Dr. Flint McGlaughlin，Aaron Rosenthal，Eric Stockton，Jeremiah Brookins，Jalali Hartman，Bob kemper，以及更多 MEC 实验室的精英团队和好朋友们。

从最初的想法到最终的印刷版，对书稿内容的润色修改过程非常艰辛，尤其是对本书的校对者而言！我将深深的鞠躬和诚挚的感谢献给 Jason Burroughs，Chris Ashenden，Mike Norman，Albert Pope，Jillian Manus，Jess Portner，Mike Maples，Juan Manuel "Micho" Cambeforte，我的智囊后援 Tom Ferriss 兄弟，以及其他帮助我最终完成本书的无法一一列举的人们。对 Carol Kline 我有更特别的感谢——是她的敏锐头脑和自我意识帮助这本书的成形——还有我的好朋友和无情魔鬼代言人 Sherwood Forlee。

感谢我才华横溢的实习生 Ilena George，Lindsay Mecca，Kate Perkins Youngman 和 Laura Hurlbut，是他们帮助我在规定时限内完成工作还不至于崩溃。我向所有的出版商推荐，在其他竞争者之前抢先雇用你们！

对于那些在这整个过程中一直引导和激励我的作者，我永远是你们的书迷并对你们心存感激：John McPhee，Michael Gerber，Rolf Potts，Phil Town，Po Bronson，AJ Jacobs，Randy Komisar 和 Joy Bauer。

对于教会我如何克服恐惧和为自己的信念执着奋斗的 Steve Goericke 师傅和 John Buxton 教练，这本书——和我的人生——是你们影响之下的产物。上帝保佑你们。如果年轻人能更多地拥有你们这样的导师，世界上的问题就会少很多。

最后，这本书献给我的父母，Donald Ferriss 和 Frances Ferriss，是他们引导、鼓励和深爱着我，并且自始至终支持着我。我对你们的爱无法用言语表达。

索引

1. 关键词

(以在书中首次出现先后为序)

2. 成功案例

戴尔·贝格－史密斯　21 岁，冬奥会金牌获得者，既照顾了生意，又实现了梦想。　P24

朱莉　三个孩子的母亲，和丈夫带着孩子扬帆（真正的帆船！）远行 15 个月。　P25

汉斯·基林　美国律师，辞职后在巴西开办冲浪探险公司。　P36

吉恩－马克·哈奇　48 岁，加拿大人，曾在加纳当志愿者。　P42

查尼　销售人员，经本书作者指点，每周只工作 18 小时，成效却是过去的 4 倍。　P74

AJ·雅各布斯　自由撰稿人，亲自讲述了"我的外包生活"，甚至包括私生活。　P111

道格拉斯·普莱斯　商业网站站长，每周工作时间少于 2 小时。　P138

爱德·伯德　把生意做"绝"的老板，其产品占据美国运动营养补品销售量首位。　P144

舍伍德　工程师，业余创建法国水手衫网络销售"缪斯"，并以远程工作模式得到老板默许，去德国参加慕尼黑啤酒节。　P166, 208

斯蒂芬·麦克唐纳尔　公司总裁，连续 17 年每周只在公司总部呆一天。　P180

戴夫·卡马里罗　44 岁，惠普公司员工，"失踪"30 天，在中国度蜜月。　P205

乔希·斯坦尼兹　癌症患者，以写作和网上生意为生，环球漫游者。　P244

3．挑战训练

评论

真棒,激动人心!从"迷你退休"到"外包生活",尽在书中。无论你是辛劳的上班族,还是世界 500 强的 CEO,本书都将改变你的人生!

——Phil Town

(畅销书《第一规则》［*Rule #1*］作者)

"外包"不再专属于世界 500 强企业。中小企业、忙碌的职业人都可以把自己的工作外包,以提高生产力和腾出更多时间做更重要的事情。现在是全世界都来分享这次变革大潮成果的时候了。

——Vivek Kulkarni

(印度 Brickwork 公司首席执行官,印度班加罗尔市［Bangalore］前任 IT 部长;因帮助班加罗尔成为印度的 IT 中心而被誉为"技术大臣")

这是一场全新的竞赛。极力推荐。

——Dr. Stewart D. Friedman

(杰克·韦尔奇［Jack Welch］的顾问和美国前副总统阿尔·戈尔［Al Gore］工作 / 家庭事务顾问,宾夕法尼亚州立大学沃顿［Wharton］商学院工作 / 生活综合研究项目主任)

感谢 Tim,我现在有了更多的时间陪伴家人、旅行和写作。这是一本非常有用的书。

——AJ Jacobs

(《时尚先生》 ［*Esquire*］ 杂志的自由撰稿人，《无所不知的人》 ［*The Know-It-All*］ 的作者)

我们为生活而工作，但如何防止工作吞没生活？本书是解决这个老问题的新方法。读者将从书中得到启发，发现一个有无限选择机会的世界！

——Michael E. Gerber

(全球 E-Myth 公司的创始人兼首席执行官，世界小型企业发展权威)

Tim 做了大多数人梦想中才能做的事。我不敢相信他居然把自己的秘密和盘托出。这本书一定要读！

——Stephen Key

(Teddy Ruxpin 和 Lazer Tag 公司的首席创意师和团队设计师，电视节目 “美国发明者” ［*American Inventor*］ 的顾问)

Tim29 年的生涯，比斯蒂夫·乔布斯（Steve Jobs）的 51 年还要精彩。

——Tom Foremski

(硅谷观察者网站 ［*SiliconValleyWatcher.com*］ 记者和出版人)

Tim 是数字时代的印第安那·琼斯(Indiana Jones)。我采纳了他的建议，去了遥远的海岛叉鱼和阿根廷不为人知的最棒的雪坡滑雪。很简单，只要按 Tim 说的做，就能过上百万富翁的生活。

——Albert Pope

(UBS 国际总部衍生贸易专家)

读这本书，就能在收入后加几个零。Tim 将生活方式带上了一个新台阶——听他的，没错！

——Michael D. Kerlin

(麦肯锡［McKinsey & Company］公司负责布什—克林顿卡特里娜［Katrina］基金的顾问，J·威廉·富布莱特［J. William Fulbright］基金学者)

一半科学一半冒险，Tim 创造了一幅全新的世界地图。我一口气读完了它——我从没读过这样的书。

——Charles L. Brock

(哈佛法学院协会前任主席，布洛克［Brock］资金集团的主席和首席执行官，Scholastic 公司的前任首席财务总监、首席营运官和总顾问)

这本书让你直面最重要的问题：你到底想从工作和生活中得到什么？为什么？Tim 的借力才能非常出色，在书中他道出了秘诀，帮你实现梦想。

——Bo Burlingham

(《公司》［Inc.］杂志的自由撰稿人，《小巨人：选择伟大而不是庞大的公司》［Small Giants: Companies That Choose To Be Great Instead of Big］一书的作者)

Tim 是个大师！我早该知道。我看着他一路走向富裕，看着他从一个强有力的搏击选手走向企业家。他粉碎了传统的成见，找到了更好的方法。

——Dan Partland

(艾美奖获奖制作人；制作过《美国高校》［American High］、《欢迎来到玩偶之家》［Welcome to the Dollhouse］)

通过这样的时间管理和对生命中重要事情的专注，人们应该能比过去一般的工作周多做 15 倍的事。

——Tim Draper

(德莱普风险投资公司［Draper Fisher Jurvetson］创始人，Hotmail 公司、Skype 公司和 Overture.com 公司的财务顾问和创新顾问)

如果你想随心所欲地生活，这本书就是你的指南。

——Mike Maples

(Motive Communications 公司［挂牌上市达 2 亿 6 千万美元市值］创始人之一，Tivoli 公司［以 7 亿 5 千万美元卖给 IBM 公司］的创始董事)

每周工作 4 小时的秘诀之一是，要么自己开公司，要么让你的老板相信，你在家里工作比在办公室里效率更高。当然，多数人既没本钱开公司，也没胆子跟老板耍嘴皮子。不过这本书好就好在，你并不需要原样照搬费里斯的模式，即可从他的经验中获得灵感。实际上，他传授的更多的是实际的人生哲学，在这个全球化和科技进步加速发展的今天，本书对人们的工作和休闲观提出了不乏尖锐的挑战。

——包立德

(路透中文网 cn.reuters.com 专栏作家)

这是美国近期最新的畅销书……姑且不论本书标榜的"每周工作 4 小时"是否具有可能性，至少由此书畅销程度便可见大部分人对于轻松和自由生活的无限向往。

——《出版人》

(2007 年 7 月 1 日，总第 66 期)

这是一本简洁易读的职场手册，即使是阅读速度比较慢的人，也能够很快读完。一旦拿起这本书，你就不会轻易放下……作者根据职场上的诸多情况分门别类地提出了处理办法，形成了一个职场地图。按照这个职场地图，对即使没有 MBA 学位的人来说，也可以遵照执行，轻松地解决职场困难，甚至 4 小时就可以解决问题，摆脱朝九晚五的烦闷生活。

——郑杨

(《中国图书商报》2007 年 6 月 19 日，第 1364 期，"财经·管理"版：域外关注)

我会跟员工讲"每周工作 4 小时"这个理念，也会把这本书推荐给我的员工，还要给他们团购。因为这本书告诉了你很多提高效率的好的创意。他们看了以后，会极大提高工作效率。如果员工们达到能够每周工作 4 小时的水平，我相信，公司的效益是不会减少的。

——刘九如

(计算机世界传媒集团董事、前总裁，推动中国企业信息化建设十大人物之一)

我觉得《每周工作 4 小时》这本书对大学生、对年轻人就业的指导，比我们现在任何一个就业指导都有意义。就是你在就业的时候，你可以选择另外一种生存模式。想法决定活法，思路决定活路。这本书不仅给我们现在很辛苦的职场中人开启了另一道生存之门，我觉得更大的意义在于，我们高校的领导要读这本书，要鼓励学生从另外的角度考虑未来的生存模式。

——龚曙光

(湖南出版投资控股集团董事长)

我要推荐《每周工作 4 小时》，因为这本书倡导一种理念，就是重视生命本体。人活在这个世界中间，最重要是人，是生命本身，这是最重要的。除了生命本身以外，金钱、名誉、财富、权力，这些东西应该说和生命本体来比的话，通通都是第二。所以这本书的价值就在于它提出了一个理念，它从一个工作时间长短的角度，探讨一个具有哲学性的命题，就是生命本体意义、生命本体价值。

——王立群

(河南大学教授、中央电视台"百家讲坛"主讲人、畅销书作家)

湖南文艺出版社通过安德鲁·纳伯格联合国际有限公司北京代表处获得本书中文简体字版中国大陆地区独家出版发行权。
版权所有，侵权必究。

图书在版编目（CIP）数据

每周工作 4 小时/(美) 费里斯（Ferriss，T.）著；徐慧玲译.
—长沙：湖南文艺出版社，2008.4
ISBN 978-7-5404-4104-3

Ⅰ. 每… Ⅱ. ①费…②徐… Ⅲ. ①职业选择—通俗读物
②自我管理学—通俗读物 Ⅳ. C913.2-49 C936-49

中国版本图书馆 CIP 数据核字（2008）第 024804 号

每周工作 4 小时
作　　者：[美]蒂莫西·费里斯
译　　者：徐慧玲
出 版 人：刘清华
责任编辑：周爱华　徐小芳
内文排版：刘晓霞　杨进宝
出版发行：湖南文艺出版社
　　　　　（湖南长沙东二环一段 508 号　　410014）
邮购电话：0731-5983045
经　　销：湖南省新华书店
印　　刷：长沙化勘印刷有限公司
版　　次：2008 年 4 月第 1 版　2011 年 8 月第 6 次印刷
字　　数：280 千
开　　本：710×1000 毫米　1/16
印　　张：20
书　　号：ISBN 978-7-5404-4104-3
定　　价：38.00 元（平装本）

毕业?

失业?

100%

全球化 3.0 个人版 + 数字时代创业书

上班?

加班?

○这样的**员工**：经过重新安排工作日程并通过远程工作协议，在10%的工作时间内达到90%的工作成效……

○这样的**老板**：懂得放弃获利最少的客户和项目，外包整个业务运营……

○这样的**学生**：愿意选择冒险……

——《每周工作4小时》P23

寻人启事

如果你是这样的人，或者想成为这样的人；如果你不是这样的人，也不想或不可能成为这样的人；均请与我们联系。

联系方式：
请以"每周工作4小时？！"为题，将你的职场故事、创业经历、人生思考、生活方式发帖于各大网站，在文末留下你的e-mail，我们将适时搜索，择优传播。或许，你能成为本书的形象代言人呢。

灌水请进：
www.douban.com/subject/3006483/discussion

全球化3.0个人版

每周工作4小时

告别朝九晚五
迈入新贵阶层

Timothy
Ferriss

[美] 蒂莫西·费里斯 著　徐慧玲 译　湖南文艺出版社